海外漢文古醫籍精選叢書·第三輯

2011—2020年國家古籍整理出版規劃項目
2018年度國家古籍整理出版專項經費資助項目
中國中醫科學院「十三五」第一批重點領域科研項目
——我國與「一帶一路」九國醫藥交流史研究（ZZ10-011-1）

蕭永芝◎主編

身體名

〔日〕淺井貞庵 撰

脉訣輯要

〔越〕洪錦居士 撰

4

北京科學技術出版社

圖書在版編目（CIP）數據

身體名；脉訣輯要/蕭永芝主編．—北京：北京科學技術出版社，2019.1
（海外漢文古醫籍精選叢書．第三輯）
ISBN 978－7－5304－9992－4

Ⅰ．①身…　Ⅱ．①蕭…　Ⅲ．①中醫典籍—日本②脉訣—越南　Ⅳ．①R2-5②R241.13

中國版本圖書館CIP數據核字（2018）第282643號

海外漢文古醫籍精選叢書·第三輯·身體名　脉訣輯要

主　　編： 蕭永芝
策劃編輯： 李兆弟　侍　偉
責任編輯： 吕　艷　周　珊
責任印製： 李　茗
出 版 人： 曾慶宇
出版發行： 北京科學技術出版社
社　　址： 北京西直門南大街16號
郵政編碼： 100035
電話傳真： 0086-10-66135495（總編室）
0086-10-66113227（發行部）　0086-10-66161952（發行部傳真）
電子信箱： bjkj@bjkjpress.com
網　　址： www.bkydw.cn
經　　銷： 新華書店
印　　刷： 北京虎彩文化傳播有限公司
開　　本： 787mm × 1092mm　1/16
字　　數： 276千字
印　　張： 23
版　　次： 2019年1月第1版
印　　次： 2019年1月第1次印刷
ISBN 978－7－5304－9992－4/R·2549

定　　價：680.00元

海外漢文古醫籍精選叢書·第三輯

身體名

〔日〕淺井貞庵　撰

内容提要

《身體名》成書於日本文政四年（一八二一），爲日本名醫淺井貞庵所撰。本書從讀音、釋名、經典原文考據等角度入手，闡釋身體名稱術語，訓解身體方位名詞，使讀者能够瞭解身體名稱的確切含義，有助於解决研讀中醫經典過程中的部分難題。同時，由於書中引録的原文及注釋涉及生理病理、疾病診斷、治療法則、刺針灸療方面的諸多問題，對臨床運用也頗有助益。因此，本書可以作爲一部置之案頭以供隨時檢閲的醫學實用工具書。

一　作者與成書

翻閲《身體名》全書，并未得見本書作者信息。參考大塚敬節及矢數道明編集的《近世漢方醫學書集成》❶及日本國書研究室主編的《國書總目録》❷，均著録本書作者爲淺井貞庵（正封）。

---

❶〔日〕矢數道明．尾張藩医宗淺井家七世の俊英——貞庵・淺井正封の業績［J］//大塚敬節，矢數道明編集．近世漢方医學書集成：第七七册．東京：株式會社名著出版，一九八一：二八．

❷〔日〕國書研究室．國書總目録：第四卷［M］．東京：岩波書店，一九七七：七二九．

淺井貞庵（一七七〇—一八二九），名正封，字堯甫，幼名小藤太，號貞庵，又號㰁園、静觀堂、文燭，法號「智境院貞庵日静居士」，爲日本江户時代的著名醫家。淺井貞庵生於名古屋的一個名醫世家。祖父淺井圖南，爲饗庭東庵弟子淺井周伯的後人，是淺井醫學世家第五代掌門人，學術上遵從《素問》《靈樞》及李（東垣）朱（丹溪）醫學，著有《扁倉割解》《淺井氏切紙》《腹診法》《腹診候秘訣附痘候辨》《貽厥録》等；義父淺井南溟，爲淺井家第六代掌門人，擅長腹診、脉診，精研《傷寒論》，著有《腹秘録》《隨證方》等。淺井貞庵爲淺井家第七代掌門人，他天資穎悟，然而經歷坎坷，八歲時父母相繼去世，四年後義父淺井南溟早逝，次年又失去祖父淺井圖南。天明二年（一七八二）二月，年僅十三歲的淺井貞庵拜謁尾張藩（今屬日本愛知縣名古屋市）藩主德川宗睦，九月被任命爲醫學教授。後到京都進修學習，七年後返回家鄉擔任教師。淺井貞庵在住處營建醫學館，命名爲静觀堂（著名的尾張醫學館前身），以講授《素問》《靈樞》《傷寒論》《金匱要略》爲主，兼授《本草備要》《藥性歌括》《本草綱目》等。寛政十一年（一七九九）六月，淺井貞庵制定了藩醫弟子學業考試制度，弟子學業完成後需要參加淺井家的醫學考試，通過考試者才被允許在本藩開業，擔任寄合醫、町醫。

在醫藥學方面，淺井貞庵精通本草學，對日本尾張本草學派的發展影響極大。文化二年（一八〇五）三月，身爲静觀堂館主的淺井貞庵受命接管御下屋敷御藥園，他起用當時尾張藩内極富盛名的本草學家水谷豐文掌管御藥園，促成定期召開藥品會，對尾張藩開展本草學研究起到很大的推動作用。每年六月十日，在淺井貞庵、水谷豐文等人的努力下，尾張同道都要召開「醫學館藥品會」，彙集海内外動物、植物、礦物類物産一萬餘種，使參會者無論老幼貧賤都有機會親眼目睹，醫學館的官醫、町醫、都督、醫學生等都來參加，促進了本草學術的交流發展。淺井貞庵在傷寒研究方面也是成就卓著，他强調學習《傷寒論》應着眼於「用」字，使之落到臨床實處。他在指導門人時説：「學習《傷寒論》時，要把它看成是病人，病人就是《傷寒論》，把《傷寒論》同病人看成一體來讀。」❶此外，文政十年（一八二七）十一月，在仁和寺發現《太素經》殘本二十二卷及《新修本草》五卷，最早秘密借出并用心謄寫者正是淺井貞庵。貞庵此舉對中醫文獻的傳承發展也具有重要意義。

淺井貞庵性格温潤，胸懷寬廣，博學多識，儒學尊崇程朱理學，醫學多尊後世方派，深受醫界及學界敬仰，在當時的尾張藩内具有極大的影響力。其子淺井正翼爲淺井家第八代掌門人，深諳《素問》《靈樞》，在醫界享有盛譽。其孫淺井正贇爲淺井家第九代掌門人，也是淺井家歷代著述最多者，計有著作四十一種。淺井貞庵門下弟子三千餘人，其中享有盛名的有淺野文達、大河内存真和宇津木昆臺等。

淺井貞庵一生勤於著述，流傳至今的三十四部著作多數涉及傳統醫學的方方面面，其中既有關於醫學概論的《醫學録》《醫門小學》，也有醫經類的《醫經發端弁》《楊上善太素經、研修本草の校訂》，有關中醫基礎理論的《身體名》《藏府名》《孔穴名》《充華名》《稟賦名》《氣名》《神志名》《精液名》《經絡名》，還有診斷學方面的《脉鑑》，涉及本草及博物學的《色葉本草》《藥性和解》《物産志》，研究醫方的《尾藩禁方集成》《本朝千家方續添》《方彙發端弁》《方彙口訣》，有關醫學教育的《課試問答》，關於醫

❶〔日〕松田邦夫．日本《傷寒論》研究的概況[J]．北京中醫學院學報，一九八一（四）：三九．

家的《本朝名醫傳略》,亦有《周禮醫師講義》《貞庵隨筆》《醫書筆記》《三瀆私鈔》《校刻醫家千字文》《本朝千家本》等醫學相關著作。此外,還有傳統文化方面的《太極圖説講義》《中庸講義》《易經講義》《天地名》《古之人》等。❶

淺井貞庵在尾張藩創建醫學館静觀堂,主持藩醫弟子的學業考試,門下弟子衆多。他編撰《身體名》《藏府名》《孔穴名》《充華名》《稟賦名》《氣名》《神志名》《精液名》《經絡名》等有關醫學名詞術語闡釋與考證的系列著作,以便在教學中幫助弟子們更好地理解中醫基礎理論,而《身體名》正是這一系列著作中訓釋、注解、研究身體相關名詞術語的佳作。

二 主要内容

《身體名》全書分爲上、下二卷。上卷闡釋人體一百三十個身體部位名稱,下卷詳釋涉及身體方位的八組名詞。其中,上卷對身體名的闡釋,主要從以下幾方面展開。首先是讀音,采用反切法注音。其次,引用漢·許慎《説文解字》中的内容對字義進行解釋。之後,引用漢·劉熙《釋名》的内容,通過對語言音聲的校對來推求字義,由此説明事物如此命名的緣由;或引用唐·顔師古、北宋·徐鉉等人之説,闡明身體名稱的含義。

---

❶〔日〕矢數道明.尾張藩医宗淺井家七世の俊英——貞庵·淺井正封の業績[J]//大塚敬節,矢數道明編集.近世漢方医學書集成:第七七册.東京:株式會社名著出版,一九八一:二八.

全書擷取中醫經典名著中涉及相關身體名稱的原文并依次羅列，這些原文幾乎全部出自《黄帝内經》《難經》《傷寒論》《針灸甲乙經》《外臺秘要》等中醫名著，且引録盡可能詳盡。例如，僅本書第一個名詞「身」字，就徵引了《黄帝内經》二十三條原文。所引録的原文主要包括以下幾方面内容。

一是關於經絡循行的内容。由於經絡分布在身體各處，因此論述經絡循行的原文往往涉及身體部位的名稱。例如，上卷對「人中」的解釋，在「經脉之手陽明，還出挾口，交人中」之後，引用宋・王逵《蠡海集》「水溝穴，在鼻下口上，一名人中。蓋人身居天地之中也，天氣通於鼻，地氣通於口，天食之以五氣，鼻受之；地食之以五味，口受之。穴居其中，故名之曰人中。或曰人有九竅，自人中以上者皆兩，自人中以下者皆一，若天地交泰之義者鑿矣」，進一步明確了人中穴在身體中的位置及命名原則。

二是對於生理病理的描述。有關人體生理病理的發生發展，多會涉及人體的發病部位。例如，上卷對「面」的闡釋，引用《黄帝内經》原文「首面與身形也，屬骨連筋，同血合於氣耳云云。其面不衣，何也？曰：十二經脉三百六十五絡，其血氣皆上於面而走空竅云云。其氣之津液皆上熏於面而皮又厚，其肉堅，故天氣甚寒不能勝之也」。這段原文對面部能够耐受寒冷的生理特點進行説明。再如對「面」的闡釋，摘録《靈樞・陰陽二十五人》原文「人云足太陽之上，血多氣少則惡眉，面多少理；血少氣多則面多肉；血氣和則美色」。又「手太陽之上，血氣盛則有多鬚，面多肉以平；血氣皆少，則面瘦惡色」，闡述了手、足太陽經血氣盛衰對循行的面部鬚髮、肥瘦、面色等生理病理的影響。

三是關於疾病診斷的内容。在人體一些特定的部位出現相關症狀，對疾病的診斷具有重要意義。通過搜集相關信息，從而對疾病作出診斷，即是中醫望診的主要内容。例如，卷上注解「面」字時，引録《靈樞·邪氣藏府病形》「面熱者，足陽明病」之文指出，凡是出現面部發熱的症狀，應該是足陽明經的疾病，寥寥數語，却對面部發熱這一症狀作出了明確的診斷，并能進一步指導治療。仍是闡釋「面」字，又摘録《靈樞·五色》「面王以上者，小腸也；面王以下者，膀胱、子處也。又男子色在於面王，爲小腹痛」的原文，通過觀察面部色澤及位置，有助於明確診斷發病部位并指導正確施治。

全書對一百三十個身體名及八組身體部位名稱的解釋采用相對固定的格式，加上作者畫龍點睛的眉批及旁注，使讀者無論是將此書作爲日常閱讀書籍還是作爲工具書使用，均能方便地查找并有所收獲。

三　特色與價值

《身體名》成書於日本文政四年（一八二一），爲淺井貞庵五十二歲時所作，此時，他在醫藥學方面已經有很高的造詣，在尾張藩内具有巨大的影響。雖然全書并未提及編著此書的目的，但從淺井貞庵在尾張藩設館開展醫學教育的履歷中，可以大致推斷出本書的寫作目的，或許是爲了供弟子學習經典著作時隨時檢閲之用，便於弟子們理解經典原文。而本書的特色與價值也正是體現在如下幾個方面。

其一，豐富的眉批及小字旁注，體現了作者對引用文獻的理解和融會貫通。儘管全書内容均摘自小學之書或中醫經典名著，但并非相關内容的簡單堆砌，而是通過作者精心采摭編撰而成，特别是部分詞彙及原文附有詳細的眉批及小字旁注，能够幫助讀者深入理解原文。例如，上卷對「顖」字的解釋，正文先注反切讀音。之後，引漢・許慎《説文解字》對該字字義進行解釋：「囟，頭會腦蓋也，象形。」再後，引西晋・皇甫謐《針灸甲乙經》原文：「顖會，在上星後一寸骨間陷者中。」在正文小字旁注：「張氏云：顖，腦蓋骨也，嬰兒腦骨未合，軟而跳動處，謂之顖門……魏校云：頂門也。子在母胎，諸竅尚閉，惟臍納氣，囟爲之通氣，骨獨未合。既生則竅開，口鼻納氣，尾閭爲之泄氣，囟乃漸合，神明升降之道也，别作顖脜，或作頗并泥。」這段注釋，對原文是非常重要的補充，除進一步明確了「顖」所指的部位外，還可使讀者進一步瞭解「顖」的生理。

此外，作者不僅僅局限於原文的字詞語義，許多注釋還通過作者的融會貫通，將自己廣博的學識傳諸筆端，以幫助擴大讀者知識面。例如，關於上卷「身」這一名詞，在提取《黄帝内經》原文的同時，作者在眉批處作了詳細的批注：「『三部九候』云人有三部，部有三候云云。『次注』云三部者，言身之上、中、下部，非謂寸關尺也。『天年篇』三部三里起。『寒熱病』云五藏身有五部，伏兔一，腓二（腓者，腨也），背三，五藏之腧四，項五。凡此五部有癰疽者死。又天牖五部。」由對「身」的論述，擴充到「身之上、中、下三部」，再到「五藏身有五部……五部有癰疽者死」，將相關生理、病理知識融會貫通，運用自如，體現了作者扎實的文獻功底、較高的學識涵養和醫學理論水平。

其二，所闡釋的身體名及身體部位名稱，對提高閲讀中醫經典的水平并指導臨床運用具有重要作用。人們在閲讀中醫經典時，常常因爲個别生僻字詞而影響對醫理内容的理解，對一些關鍵詞語的模棱兩可甚至會導致誤解原文；而抓住這些關鍵詞語，正確領會其中的含義，則會有助於提升閲讀質量。例如，上卷中的「顔」字，通常理解爲顔色、顔面的意思，但這在古文中是一個身體部位的名稱。正如《身體名》一書對它的解釋：「『顔』，五奸切。《説文》：眉目之間也，從頁彦聲。」淺井貞庵引用的原文包括「『熱論』：心熱病者顔先赤。『次注』：顔，額也……『五閲五使』云：腎病者，顴與顔黑……『平脉法』：其色鮮，其顔光」等，讀者能够從中瞭解到，顔是面部的一個特定部位，即「眉目之間」，而通過察顔觀色，可以對疾病作出診斷。再如，上卷論及的「顑」字，也是較爲少見的生僻字，本書對它的闡釋，包括讀音「玉陷切」，之後詳考諸書，摘取「『動輸篇』：出顑下，客主人。『類注』云：此當在腦之下、鬢之前、客主人之上，其即鬢骨之上、兩太陽之間爲顑也。『癲狂』之顑齒諸腧分肉皆滿，又取頭兩顑。『雜病』之顑痛，刺手陽明與顑之盛脉出血。又顑痛，刺足陽明曲周動脉見血。《甲乙》顑字皆作頷。」通過詳細考證和闡釋，使讀者能够充分理解「顑」字的讀音、位置，從而對「顑」這一生僻之字不再陌生。此外，作者還明確了癲狂一病的意義及顑痛的治療方法，其中蘊含了極其豐富的信息。

但是，限於當時的醫學發展水平，淺井貞庵對某些詞語的闡釋也有欠妥之處。如上卷關於「頭」的注釋，「張云：人身之骨，頭爲最巨，頭骨謂之髑髏。男子自頂及耳并腦後共八片，惟蔡州人多一，共九片。腦後横一縫，當正直下至髮際，别有一直縫。女人頭骨止六片，亦腦後一横縫，當正直下則無縫也。此男女頭骨之别。八卷十八校注　骨度注」。很顯然，作者此處引用了明代著名醫家張景岳《類經》中「骨度」的内容，但張景岳對頭骨有六片、八片、九片的認識并不科學，而本書的引用沿襲了張氏之誤，淺井貞庵并未對此段引文提出質疑。然而，瑕不掩瑜，儘管如此，我們仍然不能否定這部著作的科學性及其實用價值，它在一定程度上也反映了當時日本醫家對中國醫學繼承發展的真實情況。

四 版本情況

《身體名》撰成書於日本文政四年（一八二一），現僅存稿本一部，藏於日本國立國會圖書館，❶因此顯得尤爲珍貴，本次影印采用的底本即爲此稿本。此本藏書號「860—20」。二卷三册，四眼裝幀。封面題箋上書「身體名　稿本 上ノ上」，封皮背面題箋書「身體箋　全上下」，内封題「上卷上／身體名　辛巳十月十一日／第三稿本」。全書用工整的墨書小楷抄寫在預先刻印好的紙張上：四周雙邊，烏絲欄；版心白口，上黑魚尾，書口下部刻有「靜觀堂」三字。書前無序，書後無跋。每半葉十行，每行約二十二字。書中多處有墨書眉批及小字旁注。個別葉面有少量蟲蛀痕迹。

綜上所述，《身體名》一書，通過精選中國小學工具書及歷代經典醫籍的相關内容，對身體部位名稱進行詳盡的闡釋，目的在於幫助日本讀者在閱讀中國醫籍時能够正確理解這些關鍵詞語的含義，從而提升閱讀質量。不僅如此，作者的隨文眉批及注釋同樣藴含着豐富的信息，包含了淺井貞庵對這些醫學名詞術語的理解以及運用上的融會貫通，對於臨床診斷及治療都有很好的指導作用。值得

❶ 〔日〕國書研究室．國書總目録：第四卷［M］．東京：岩波書店，一九七七：七二九．

注意的是，檢閲中國歷代醫籍，這種闡釋研究身體部位名稱的專著在中國似乎并未發現，這可能是由於國人在閲讀本國醫籍時語言障礙相對較小的緣故。然而，我們還是能够通過本書窺見日本醫家在研習傳統醫學過程中重視細節、注重每一個知識點、强調知識的實用性等特點和精神，因而本書也成爲日本醫家學習和臨證的一部實用工具書，值得今人發掘、借鑒和研究。

侯如艷　蕭永芝

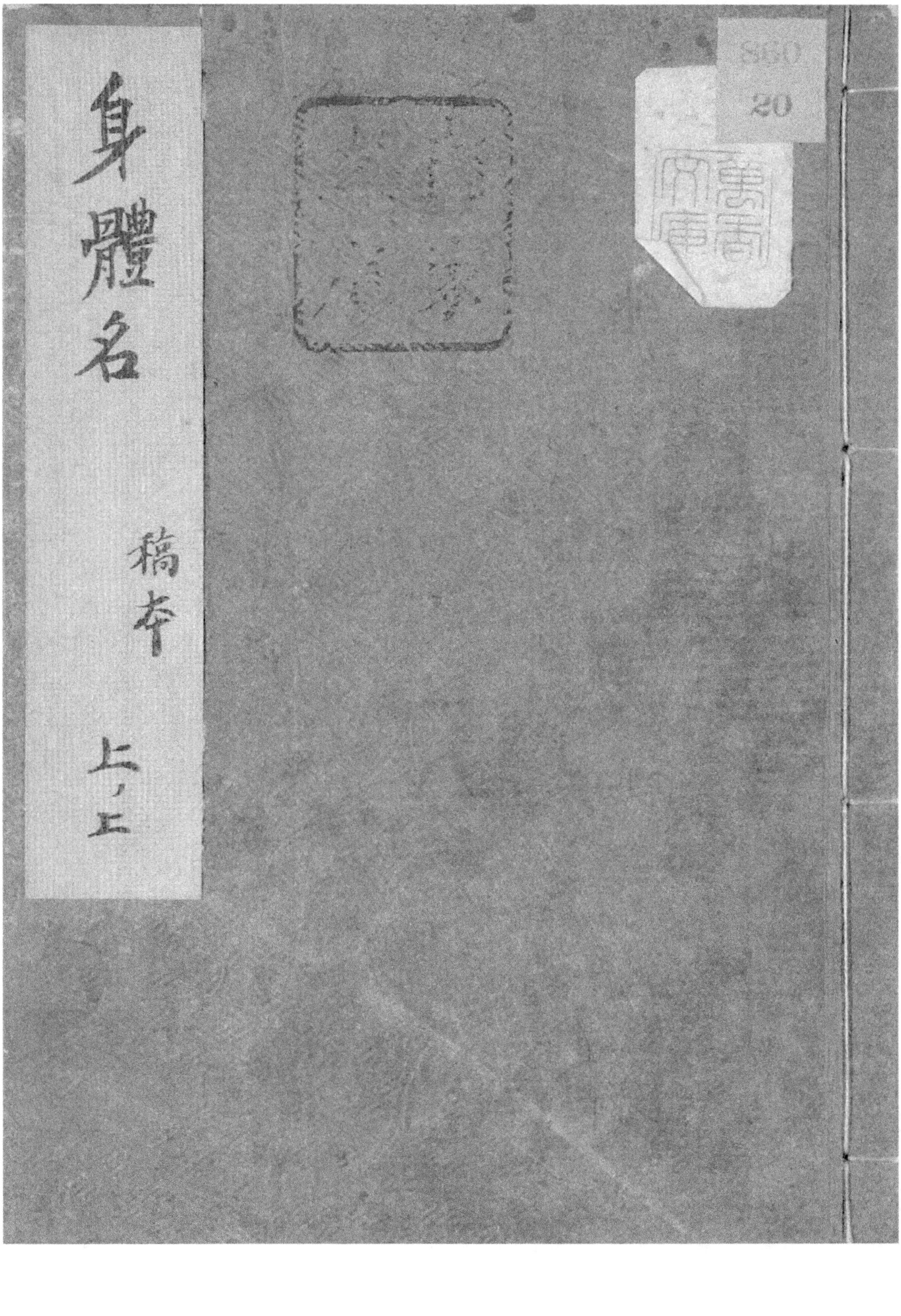
身體名
稿本
上ノ上
860
20

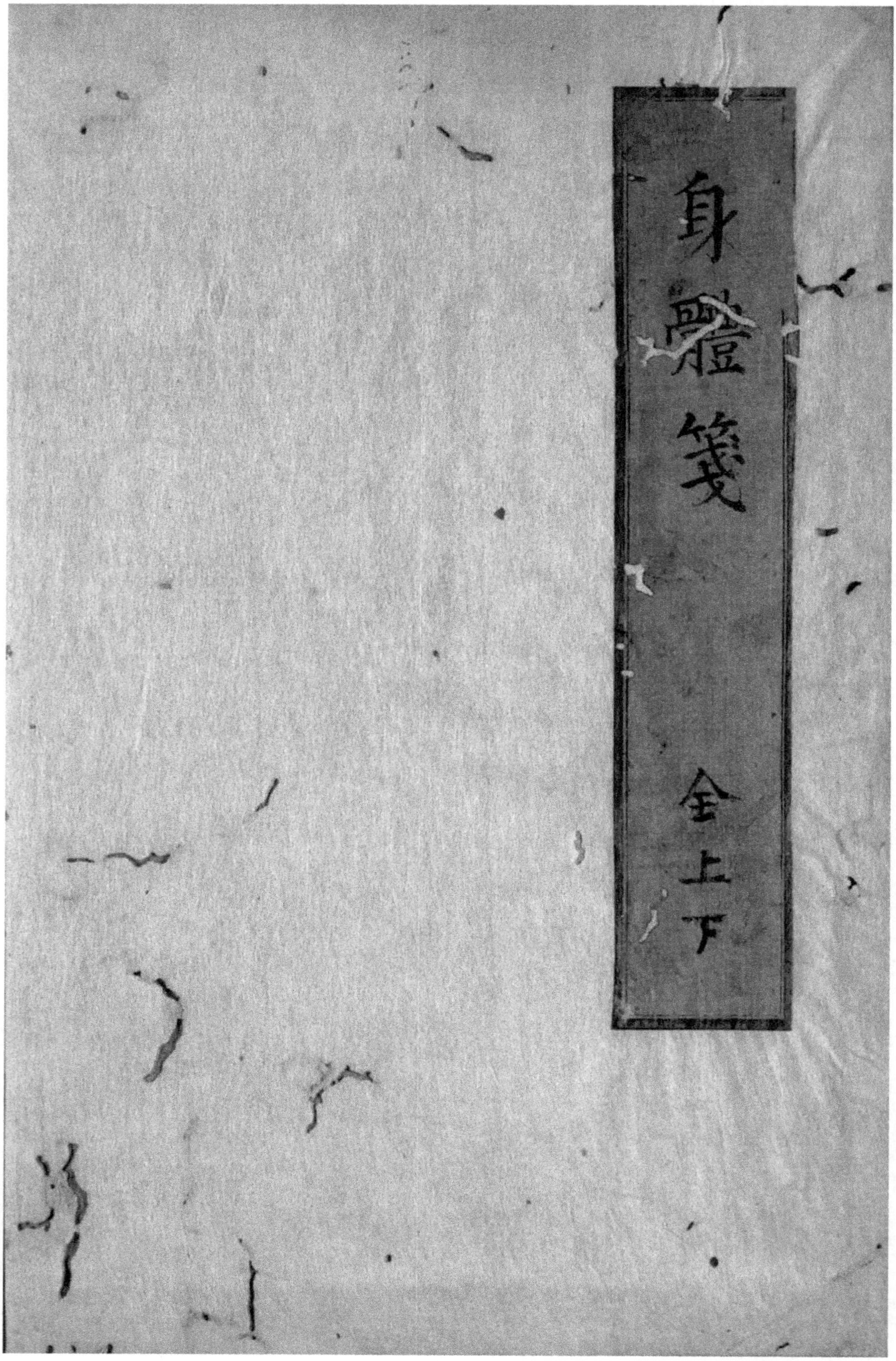
身體箋
全 上下

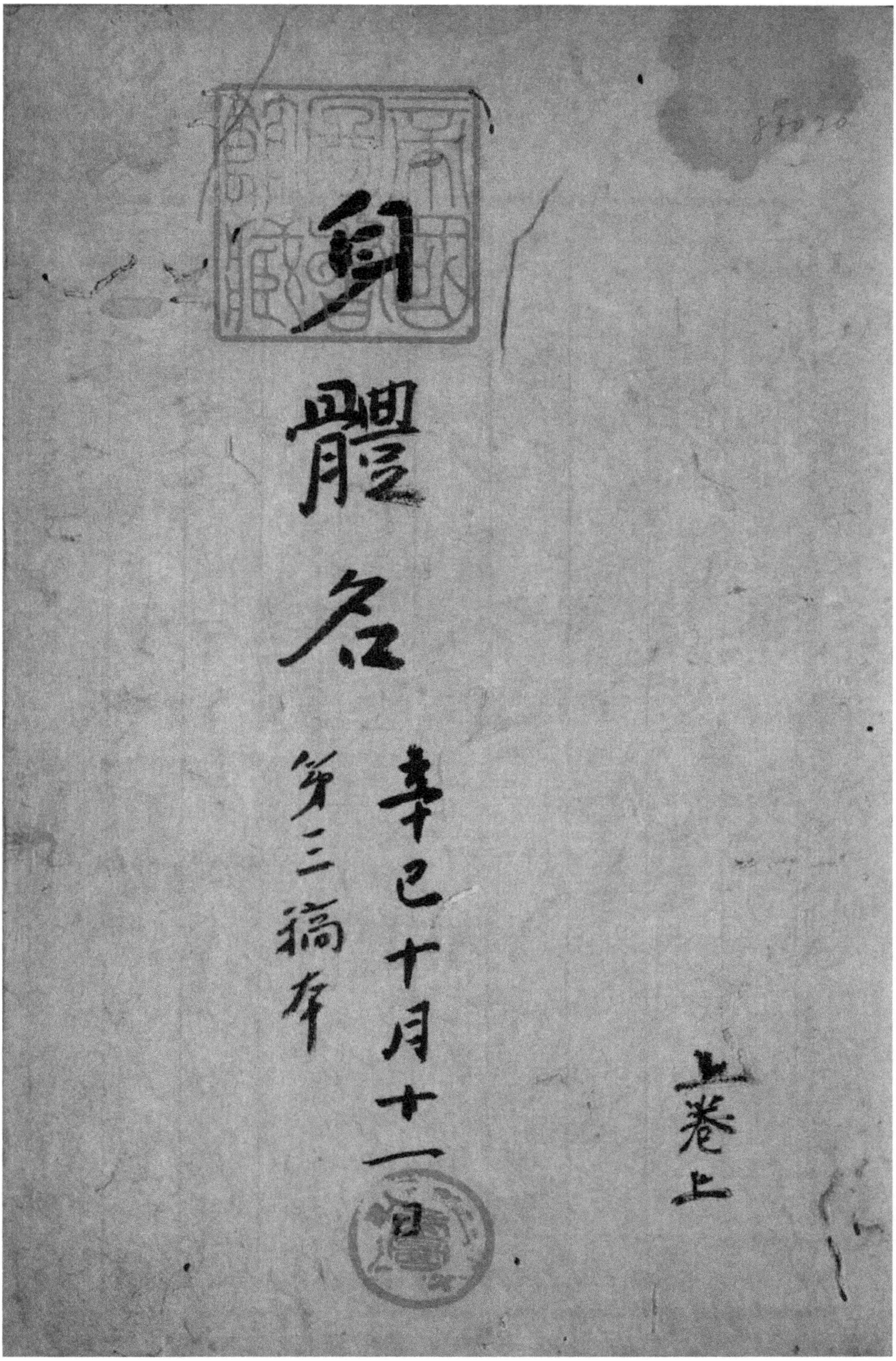
身體名
辛巳十月十一日
第三稿本
上卷上

目録上

身 體 躳 軀 形 容儀 頭 首 顛 頂
額 顱 顖 角 曲周 曲角 曲隅 顳顬 顑 顙
顔 脳 枕骨 完骨 項 頸 嬰筋
柱骨 面 頰 顴 頔 頬 頰車 曲丨 曲牙 牙車
頷 頤 人中 胸 膻 缺盆 巨骨 臂
乳 臆 肱 脇 肋 季脇 膈 賁 髃骬
腹 小腹 臍 脉 横骨 肩 肩解 胛
髆 髃 背 脊 膂 椎 杼骨 胂 胴
骶 腰 髁 髂 尻 臀 脽 髖 機 髀厭 丨樞

四支 丨丨末丨維丨極手足 丨丨関八虚八谿八節 手 足 脚 腋 臑 肘

臂 肱 腕 掌 指 魚 壅骨 髀 股

伏兎一 楗骨 膝 臏 骸丨厭建丨 丨関 膝解

關 膕 輔内外 成骨 委中 脛

胻 骭 腨 腓 絶骨 踝内外 跗

跟 踵 京骨 束骨 然骨 核骨

蹻 足指 頣 頭 腹 輔 肚

鳩口 䯏骬 碾子骨 脒 臁 腿 胯 眉稜

目錄下

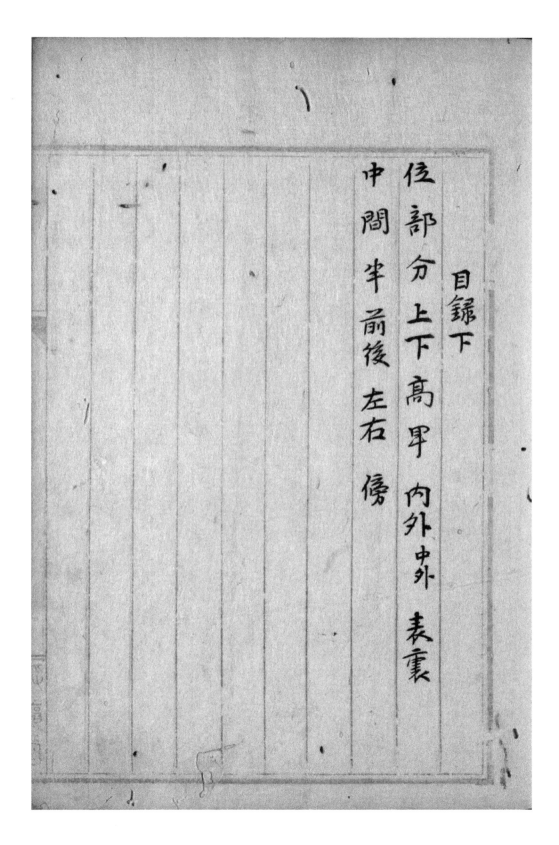

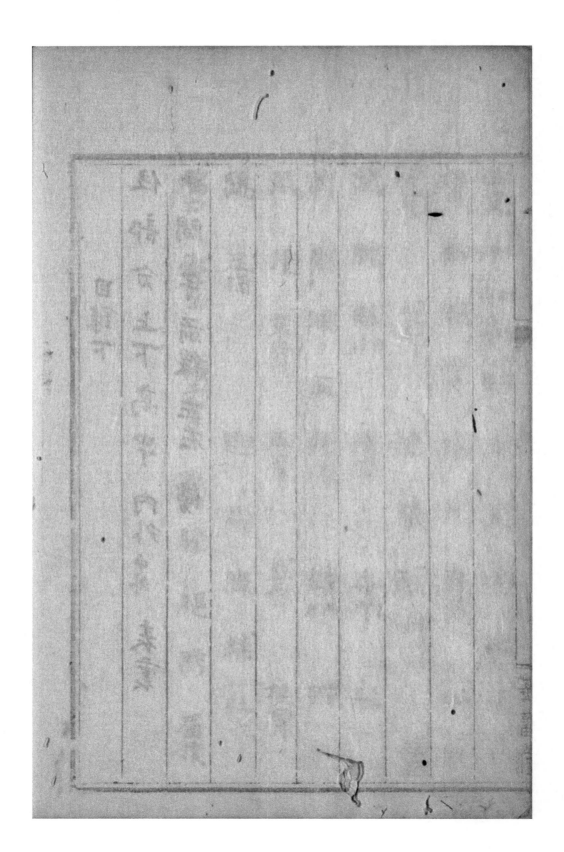

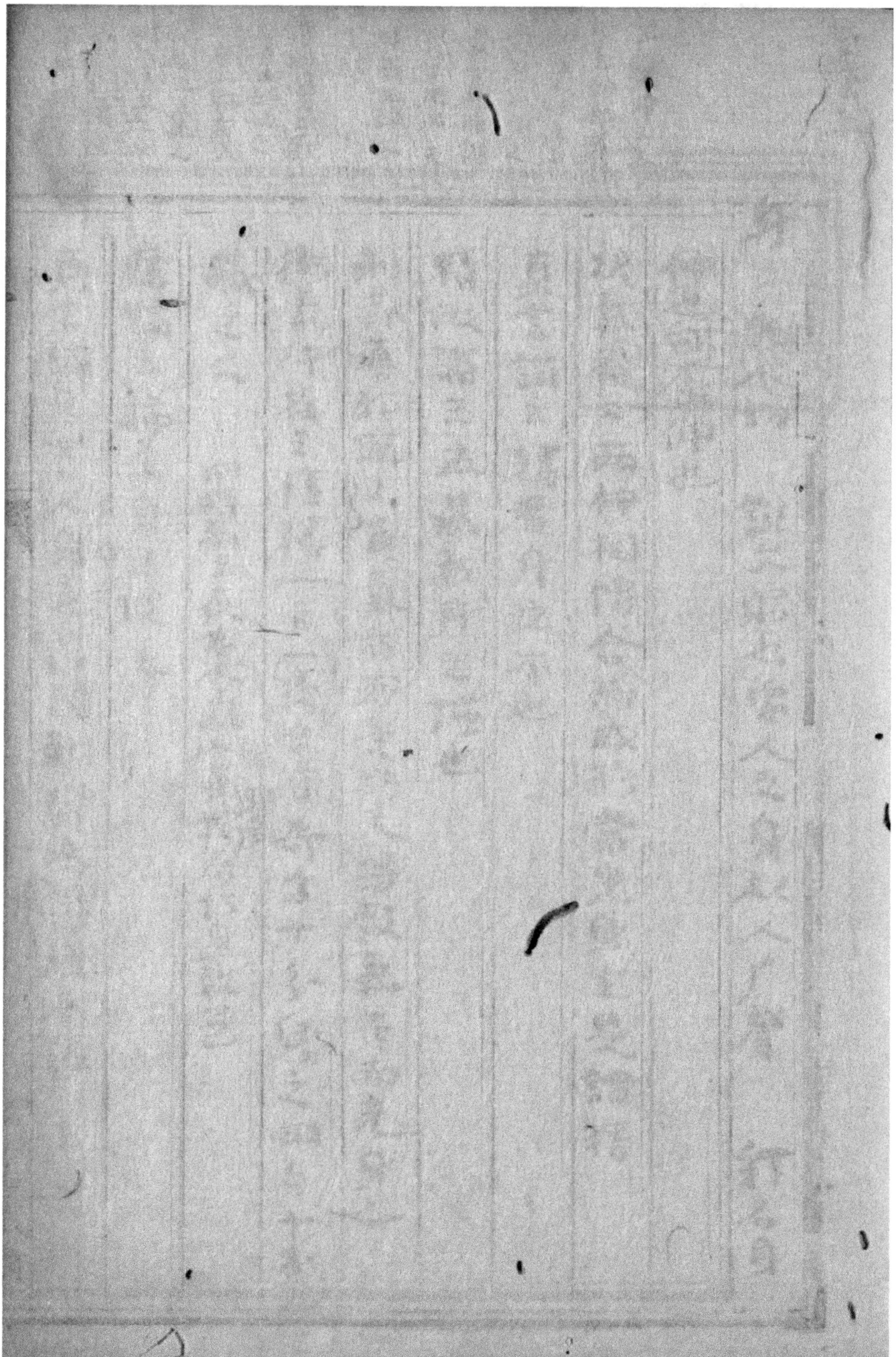

三部九候云人有三部部有三候云云 次注云三部者言身之上中下部非謂寸関尺也 天年篇三部巨里起 寒熱病云五藏身有五部伏兎一腓二腓者腨也背三五藏之腧四項五凡此五部有癰疽者死 又天牖五部

巻上

身 失人切 說文躳也象人之身从人厂聲 釋名身伸也可屈伸也

決氣篇云兩神相摶合而成形常先身生是謂精

真言論云精者身之本也

精微論云五藏者身之強也

刺節真邪論云真氣者所受於天與穀氣并而充身也

衛氣行篇云陰陽一日一夜合有奇分十分身之四与十分藏之二 四時篇云夜半人氣入藏邪氣獨居於身故甚

瘧論云肺主身之皮毛

真言論云言人身之陰陽則背為陽腹為陰

五十營篇之人經絡上下左右前後二十八脉周身十六丈
二尺 又云 氣行交通於中一周於身
刺節真邪之虚邪偏客於身半 甲乙作客於半身
病形篇之身半以上者邪中之也身半以下者溼中之也
刺節真邪之其生者身中之機
至真要之身半以上其氣三矣天之分也天氣主之身半
以下其氣三矣地之分也地氣主之
逆調論之人身與志不相有曰死 本神之智慮去身
營衛生會之以奉生身
天真論之身年雖壽能生子也

皮部論次注云手足身分
決氣云身形支節者藏府之蓋也　調經云身形五藏
病形篇云首面与身形也屬骨連筋同血合於氣耳
九針論云身形應九野

體　他禮切身也　說文總十二屬也从骨豊聲　釋名云
體第也骨肉毛血或作軆又作躰俗作体表裏大小相次第也
應象大論云在體爲筋在體爲脉
根結云身體柔脆肌肉更弱　鍼脉法體形不仁
終始云形體淫泆　金匱形體損分

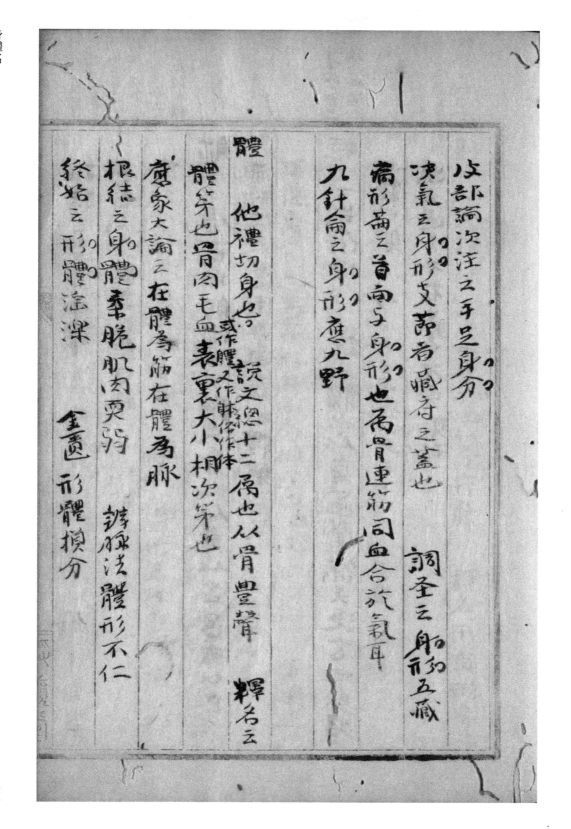

千金正卷一
板以此從而
成軀

根結之逆順五體

奇裔之身體解股胻皆瘇

躳　居戎切　躬同　說文身也从身从呂　呂或从弓

平脉法之營衛血氣在人體躬

軀　豈俱切　說文體也从身區聲　徐之注言曰身軀

四體曰軀

疏五過之不在藏府不變軀形

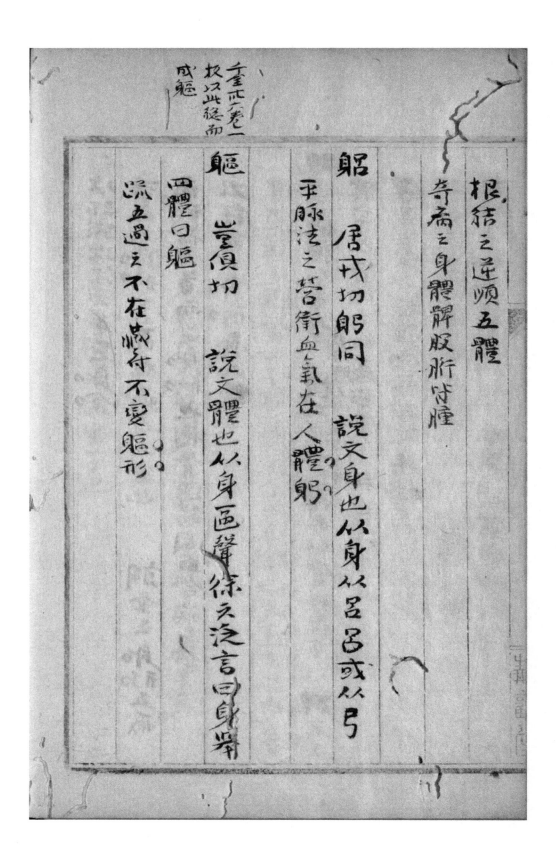

靈樞經云形不可與衣相保者死非於肉而形施於外猶自生形自盛

形　户經切　説文象形也从彡幵聲　釋名形有形象之異也

又　全形之人生有形不離陰陽　又云　君王衆庶盡欲全形

六節藏象論云氣合而有形因變以正名

形彡彡之了詳く

陰陽高合之氣裹形表而為相成也

形者稟四時五藏者判之半其日藏象[illegible]而形乃隨者判之倍其日

壽夭剛柔之立形定氣　相結之合形與氣使神內藏

應象之論理人形列別藏府　三部九候之天地之至數

三部九候云神藏五形藏四　注云一頭角二耳目三口齒四胷中也形藏四者皆如器外張虛而不屈含藏於物故云形藏也

合於人形血氣　法時之合人形以法四時五行而治　邪

客之以抱人形

調經之形有餘不足

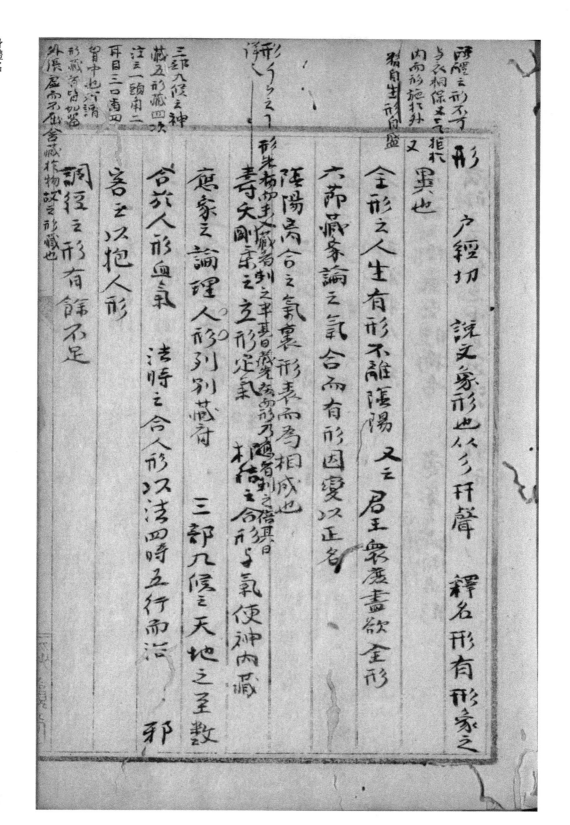

宜明五氣之形志音樂

天真之形與神俱

五變之因形而生病

二十五人之先立五形

解精微之經論從容形法陰陽

全形之二曰知養身揚上善作形

應象之天有精地有形

天年之形骸獨居而終

歲露之衛氣去形獨居

應象之（厥氣上行）滿脈去形

病形之屈邪之中身也灑淅動形

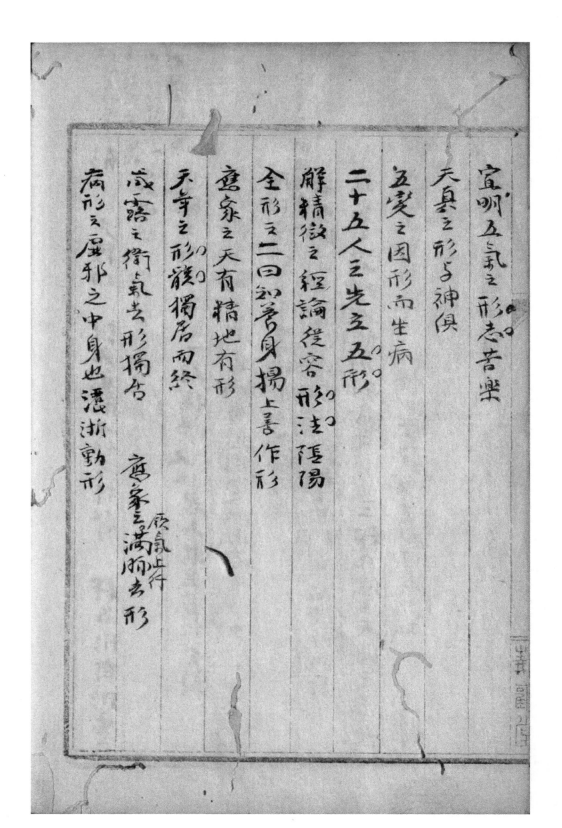

三部九候之形肉已脫

根結之形氣之逆順

通評虛實之形度骨度脉度筋度　次注云形度具三備經

風論胃風形瘦而腹大　通評之其形盡滿

失常之必先別其三形　應象次注衛氣溫則形分足矣

容儀

通天之安容儀審有餘不足

頭 度侯切 說文首也从頁豆聲 釋名頭獨也於體高而獨也 顔師古云頭者首之總名也

邪客篇云天圓地方人頭圓足方以應之

九針論云齊喉首頭應夏至其日丙丁

真言云春氣在頭 陰陽別云三陽在頭三陰在手

經終云五月六月天氣盛地氣高人氣在頭

精微云頭者精明之府頭傾視深精神將奪矣 甲乙無精字

四十七難云人頭者諸陽之會也 衛氣篇頭氣有街

衛氣行篇云目張則氣上行於頭

骨度云頭之大骨圍二尺六寸

頭　度侯切　說文首也从頁豆聲　釋名頭獨也於體

高而獨也　顏師古云頭者首之總名也

邪客篇云天圓地方人頭圓足方以應之

九針論云齊喉首頭應夏至其日丙丁

……在頭三陽在手

……尊矣　甲乙無精字

廿一十是……至者　諸陽之會也　骨度注　衛氣篇頭氣有街

衛氣行篇云目張則氣上行於頭

骨度云頭之大骨圍二尺六寸

張云人身之骨頭爲最巨頭骨謂之髑髏男子自頂及耳并腦後共八片惟蔡州人多一共九片腦後横一縫當正直下以至髮際別有一直縫女人頭骨止六片亦腦後一横縫當正直下則無縫也此男女頭骨之別

八卷十八枚注

（注：三二葉展示三一葉上的夾紙信息，特此加葉。）

首 書久切 說文𦣻百同古文百也巛象髮謂之鬊鬊即巛也 又之首頭也 釋名云首始也
風論首風 通天論首如裹
厥論巨陽之厥則腫首頭重 九鍼論膺喉頭首應夏至
熱病始於頭首 病形云首面與身形

顛 都季切 說文頂也从頁眞聲
正字通頭之上曰顛別作巓非
經脉篇足太陽之脉上額交巔 又從巔至耳上角 又其直者從巔入絡腦 脉解篇次注頂上曰巔

經脉篇足厥陰之脉与督脉會於巔
經别篇手少陽之正指天别於巔
經筋篇足少陽之筋直者循耳後上額角交巔上
骨空督脉其絡合云云与太陽起於目内眥上額交巔上
熱病論巔上一　骨空巔上一旁之次註謂百會穴

頂、都挺切（[illegible]）　說文顛也从頁丁聲籀文作鼎
氣交變頭腦戶痛延及腦頂
氣府之入髮至項三寸半新校正云頂誤作項剩半字

甲乙前頂顖會後一寸五分骨陷中　百會在前頂後一寸半頂中央旋毛中陷容指　後頂在百會後一寸半　枕骨上

至真之太陽之勝痛留頂互引眉間　又　太陽之勝頭項囟頂腦戶中痛　又　太陽之復頭項痛重

雜病論之厥挾脊而痛者至頂

額　五陌切　說文顙也从頁各聲　徐鉉曰今俗作額　釋名額鄂也有垠鄂也　故幽州人則謂之鄂也　六書故　髮下眉上爲額

甲乙腦户一名合顱

三部九候云上部天兩額之動脈　經脈云足厥陰上出額

又足太陽上額

顱　洛胡切　說文頊顱頭骨也从頁盧聲　頊說文顱也从頁乇聲徒谷切　（頊廣韵陽格切頊顱腦蓋）

骨度云髮所覆者顱至項尺二寸

骨空云在（腦空在腦後五分）顱際銳骨之下　次注是謂風府通腦中也

甲乙上星在顱上直鼻中央入髮際一寸陷者中

額顱

經脈云足陽明循髮際至額顱　（滑氏云顱前爲髮際髮際前爲額顱又云前髮際爲額顱　張氏云顱額顱）

氣府云足陽明脈氣所發額顱髮際傍各三　次注謂懸顱

古今医統八十八巻五拔顖顖論

陽白頭維也

顖 息進切 説文囟頭會腦盖也象形

甲乙顖會在上星後一寸骨間陷者中 熱病論顖會注

張氏曰顖腦盖骨也嬰兒腦骨未合耎而跳動之處謂之顖門 正字通重文从肉宰作膟 古文作囟 魏校云頂門也子在母胎諸竅尚閉惟臍納氣囟為之通氣骨獨未合既生則竅開口鼻納氣尾閭為之泄氣囟乃漸合神明升降之道也別作顖胴或作顚垂泥

口部

角 古岳切 説文獸角也象形角與刀魚相似 釋名角者生於額角也

骨度之角以下至柱骨長一尺 張氏曰耳上側傍曰角

經筋之手少陽之筋支者為目外眥上乘頷結於角類注之
頷當作額上出兩額之左右以結於額之上角
又云手陽明之筋直者上左角絡頭下右頷
又云手太陽之筋上額結於角
繆刺云邪客於手足少陰太陰足陽明之絡此五絡皆會於
耳中上絡左角次注皆會於耳中而出絡左額角也
經脈云足少陽起於目銳眥上抵頭角下耳後
經筋云足少陽之筋循耳後上額角交巔上
三部九候云上部天以候頭角之氣
甲乙頭維在額角髮際

經脉云足太陽之脉從巔至耳上角
又云手少陽擊耳後直上出耳上角 以屈下頰
氣府云足少陽脉氣所發兩角上各二 次注謂天衝曲鬢各
二 又 耳前角上各一 次注謂頷厭 曲角下顳顬之上上廉 耳前角
下各一 次注謂懸釐 曲角上顳顬之下廉 手少陽脉氣所發角
上各一 次注謂懸釐二穴 新校正云足少陽脉中言角下
此之角上疑此誤
衛氣篇手少陽標在耳後上角下外背也 類註 角孫
絲竹空也
曲周 曲角 曲隅

雜病云顑痛刺足陽明曲周動脈見血

甲乙懸顱在曲周顳顬中　頷厭在曲周顳顬上廉　懸釐在曲周顳顬下廉　又曲鬢在耳上入髮際曲隅陷者中鼓頷有空　次注外臺並曲周作曲角

顳顬　唐韻顳而涉切顬人朱切顳顬鬢骨　集韻耳前動也　張氏云顳顬耳前動處蓋即俗所謂兩大陽也一曰鬢骨

熱病篇熱病頭痛顳顬目瘛脈痛

甲乙經腦空一名顳顬　又風池在顳顬後髮際陷者中

顑 玉陷切

動輸篇出顑下客主人 類注云此當在腦之下鬢之前客主人之上其即鬢骨之上兩太陽之間為顑也

癲狂之顑齒諸腧分肉皆滿 又取頭兩顑

雜病之顑痛刺手陽明與顑之盛脉出血 又顑痛刺足陽明曲周動脉見血 甲乙顑字皆作頷 甲乙九巻陽逆發頭痛第一 十一巻狂病第二

顙 蘇朗切 說文顙頟也从頁桑聲

根結之顙大者鉗耳也 類注謂頭維 註證謂大迎

顏 五姦切 說文眉目之間也从頁彥聲

經筋足太陽之筋下顏結於鼻

熱論心熱病者顏先赤 次注顏額也 又 脾熱病顏青

五色篇云庭者顏也 類注顏為額角即天庭也

癲狂云候之於顏

五閱五使云腎病者顴與顏黑

衛氣篇云手陽明標在顏下合鉗上也

平脉法其色鮮其顔光

腦 奴皓切 説文匘頭象也从匕匕相匕著也巛象髮囟象匘形 張氏云頭上爲腦腦後爲項 王宇通腦頂心也上之骨爲天靈蓋百會穴在爲中爲髓海与周身骨髓通人之天池也俗作腦

五藏別云方士或以腦髓爲藏又云腦髓骨脉膽女子胞此六者地氣之所生也皆藏於陰而象於地故藏而不寫名曰奇恒之府

奇病論云髓者以腦爲主腦逆故使頭痛齒亦痛次註云全註人先生於腦緣有腦則有骨髓齒者骨之本也

解精微論云泣涕者腦也腦者陰也（髓者骨之充也故腦滲為涕　次注云鼻竅通腦）

大惑論云（裹擷筋骨血氣之精而）與脈並為系上屬於腦後出於項中

刺禁論云（刺頭中腦戶入腦立死）次注云腦戶在枕骨上通於腦中然腦為髓之海眞氣之所聚

氣厥云膽移熱於腦則辛頞鼻淵

經脈云足之太陽直者（從巔）入絡腦

動輸云胃氣上注於肺其悍氣上衝頭者循咽上走空竅循眼系入絡腦出顱

骨空云督脈入絡腦

海論云腦為髓之海其輸上在於其蓋下在風府

五藏生成云諸髓者皆屬於腦

經脉云精成而腦髓生

五癃津液別云補益腦髓而下流於陰股

風論風氣循風府而上則爲腦風

寒熱病云足太陽有通項入於腦者正屬目本名曰眼系頭目苦痛取之在項中兩筋間入腦乃別 注記類注並謂玉枕穴

厥病論真頭痛頭痛甚腦盡痛

二十八難云督脉上至風府入屬於腦

甲乙腦户一名會額在跳骨上强間後一寸五分督脉足太陽之會此別腦之會 跳骨外臺作枕骨

甲乙腦空一名顳顬在承靈後一寸五分俠玉枕骨下陷者中

枕骨　説文作頕項枕也从頁冘聲　廣韻章荏切頭骨後也

骨空論頭横骨為枕

氣穴論枕骨二穴次註竅陰穴也　又竅陰在完骨上枕骨下搖耳有空

經筋云足太陽之筋結於枕骨上頭

又云足少陰之筋結於枕骨与足太陽之筋合

四十五難髓會絶骨四明陳氏作枕骨

甲乙腦户在跳骨上强間後一寸五分外臺跳作枕

完骨　胡官切全也　滑氏云完骨耳後髮際高骨也

經別云手心主之正別出耳後合少陽完骨之下

經筋云足太陽之筋支者上結於完骨

又云手太陽之筋結於耳後完骨

甲乙完骨在耳後入髮際四分足太陽少陽之會　又竅陰

在完骨上枕骨下

骨度云耳後當完骨者廣九寸

項 胡講切 說文頭後也从頁工聲 釋名項确也堅确受枕之處也 顏師古云項謂頭後頸下也 張氏云頭莖之後曰項又腦後曰項

氣穴云項中央次注風府穴也

骨度云項髮以下至背骨長三寸半 又髮所覆者顱至項一尺二寸

經脉云足太陽絡腦還出別下項

又云手少陽上出缺盆上項

又云督脉之別挾膂上項

又云足陽明之別上絡頭項

經別云足少陰之正直者繫舌本復出於項合於太陽

又云足太陽之正直者從膂上出於項復屬於太陽

經筋云足少陰之筋挾膂上至項

又云足太陽之筋挾脊上項

骨空云督脉還出別下項云云

大惑云并爲系上屬於腦後出於項中

骨空云骨空一在項後復骨下次注謂瘖門穴

氣府 項中太陽之前次注謂風池穴

又云項中央次注謂風府瘖門二穴

復骨　骨空一在項後中復骨下　次注瘖門穴　類注云復当作伏　蓋項骨三椎不甚顯故云

逆順肥瘦云　項肉薄

癲狂云　刺項太經之大杼脉　又　挟項太陽

寒熱病云病始頭首者先取項太陽

又云足太陽有通項入於脳者正属目本名曰眼系

經筋云　足太陽之筋　其病項筋急

寒熱病云　五藏身有五部　項五

頸　居郢切　説文頸莖也从頁巠聲　釋名頸徑也徑挺而長也　渋氏云頭莖之側曰頸

腹中論次注頭項痛也
本兪云頭中央之脉督脉也名曰風府
寒熱病云頭側之動脉人迎人迎足陽明也
口問補天柱經俠頭俠頭者頭中分也
金匱真言云東風生於春病在肝兪在頭項
經脉云手陽明上頭貫頰
又云手太陽循頸上頰
又云足少陽循頭行手少陽之前　又下頭合缺盆
經筋云足少陽之筋其病頸維筋急
又云足陽明之筋上頭上挾口

又云手太陽之筋繞肩胛循頸出走太陽之前 又頸筋急
則爲筋瘻頸腫
又云手少陽之筋上肩走頸
又云手陽明之筋從肩髃上頸
奇病云頸膺如格
風論云胃風頸多汗
平人氣象云頸脉動喘疾欬曰水

嬰筋 於盈切 說文頸飾也从女賏賏其連也
寒熱病云人迎足陽明也在嬰筋之前嬰筋之後手陽明

也名曰扶突　張氏曰說文嬰頸飾也故頸側之筋曰嬰筋　馬氏曰嬰筋者頸之堅筋也

柱骨　直主切房屋直木曰柱

骨度云角以下至柱骨長一尺　馬氏曰肩胛上際會處為柱骨滑氏同

氣府云手太陽柱骨上陷者各一次注謂肩井穴

又云手陽明柱骨之會各一次注謂天鼎穴

經脈云手陽明上出於柱骨之會上　類注云肩背之上頸項之根為天柱骨六陽皆會於督脈之大椎是為會上　又云肩骨之上際頸骨之根也

海論云膻中者氣之海其輸上在於柱骨之上下前在人迎

註云柱骨項後天柱骨也憂恚無言篇曰頏顙者分氣之所泄也故氣海運行之輸一在頏顙之後即柱骨之上

下謂督脉之瘂門大椎也

[illegible]

面 彌箭切 說文顏前也从百象人面形 釋名面漫也

氣府 督脉氣所發面中三 次註謂素髎水溝齗交也

骨空云任脉上頤循面入目

經別云足少陽之正出頤頷中散於面繫目系

又云手少陰之正上走喉嚨出於面合目内眥
寒熱病云足陽明有扶鼻入於面者名曰懸顱屬口對
入繫目系
邪氣藏府病形云諸陽之會皆在於面　又中於面則下
陽明中於頰則下少陽
又云首面與身形也屬骨連筋同血合於氣耳云云其面
不衣何也曰十二經脉三百六十五絡其血氣皆上於面而
走空竅云云其氣之津液皆上燻於面而皮又厚其肉
堅故天氣甚寒不能勝之也
陰陽二十五人云足太陽之上血多氣少則惡眉面多少

理血少氣多則面多肉血氣和則美色　又手太陽之上
血氣盛則有多鬚面多肉以平血氣皆少則面瘦惡色
邪氣藏府病形云面熱者足陽明病
六節藏象云心者生之本神之變也其充在血脉　其華
在面
上古天真云女子五七陽明脉衰面始焦　又　六七三陽脉
衰於上面皆焦　又　丈夫六八陽氣衰竭於上面焦
刺禁云刺面中溜脉
鍼解云人齒面目應星　次注人面應七星者所謂面有
七孔應之也

五藏生成云面黄目青面黄目白云云

五色云面王以上者小腸也面王以下者膀胱子處也　又男子色在於面王爲小腹痛

頄　巨鳩切。頰間之骨　說文面頯骨也从頁九聲

氣府云手太陽脉氣所發鼽骨下各一。次註謂顴髎二穴也鼽頄也頄面顴也在面頄骨下陷者中　又手少陽脉氣所發鼽骨下各一　張氏云目下曰頄即顴也又云顴頰間骨

又云足陽明脉氣所發面鼽骨空各一次註謂四白穴

說文頯權也从頁夊声渠追切正字通頯同頄尒雅貝蚆博而頯注頯者中央廣兩頭銳

寒熱病云臂陽明入頄徧齒 又足太陽入頄徧齒

脉度云陰蹻上出人迎之前入頄屬目内眥

經筋云足太陽之筋其支者爲目上網下結於頄 又支者出斜上出於頄

又云足少陽之筋直者下走頷上結於頄

又云足陽明之筋上挾口合於頄下結於鼻

又云手陽明之筋上頰結於頄

甲乙四白在目下一寸向頄骨（即顴骨）顴空足陽明脉氣所發

顴　巨員切頰骨

刺熱云太陽之脉色榮顴骨熱病也次註云顴骨謂目下

當外眥也

經脉云手太陽斜絡於顴

五變云顴骨者骨之本也顴大則骨大

骨度云兩顴之間相去九寸半

五閱五使云心病舌卷短顴赤又腎病顴與顏黑

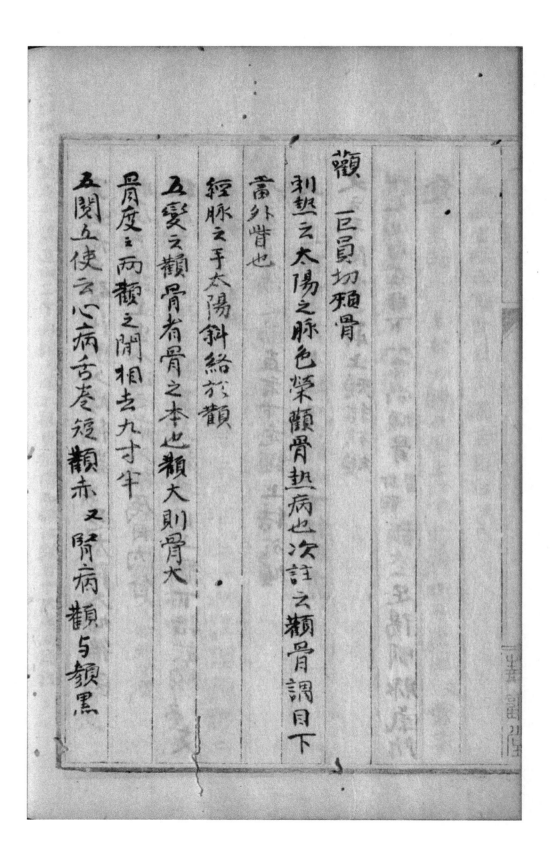

熱病論云熱病汗不出大顴發赤噦者死

五色云赤色出兩顴

刺熱云頰下逆顴為大瘕 又 顴後為脇痛

䪼 職悅切面秀骨 顏師古云爲頰之構也

經脈云手太陽別頰上䪼抵鼻

又云手少陽支者出耳上角以屈下頰至䪼

又云足少陽抵於䪼下加頰車

經別云足陽明之正出上頞䪼還繫目系

營氣篇之出頰內注目內眥

外臺三十九卷禾窌一名頰

頰　古叶切　說文面旁也从頁夾聲　釋名頰夾也（夾面）兩傍

稱也亦取挾斂食物也　滑氏云耳以下曲處

經脉之手陽明支者上頸貫頰入下齒中

又云手太陽支者循頸上頰

又云手少陽直上出耳上角以屈下頰至頰

又云足厥陰從目系下頰裏環脣内
經筋云手陽明之筋支者上頰結於頄
又云足陽明之筋病引缺盆及頰 又頰筋有寒則急引頰移口
有熱則筋弛縱緩不勝收故僻 又云其支者從頰結於耳前
口問云少陽氣至則嚙頰
三部九候云上部地兩頰之動脉
病形云中於頰則下少陽
五色云蕃者頰側也蔽者耳門也
刺熱論云少陽脉色榮頰前 次注頰前即顴骨下近鼻兩傍
也

又云肝熱病者左頰先赤肺熱病者右頰先赤

又云頰上者鬲上也

頰車　曲頰　牙車　曲牙

甲乙頰車在耳下曲頰端陷者中開口有孔足陽明脉氣

所發

經脉之足陽明出大迎循頰車

又云足少陽抵於䪼下加頰車

又云手陽明其別者上曲頰偏齒

五乙云循耳以下者脱也中央有脉迹

手太陽當曲頰

本輸云足少陽在耳下曲頰之後

經筋云手少陽之筋支者當曲頰入繫舌本其支者上曲牙循耳前

動輸云足陽明下客主人循牙車合陽明并下人迎

刺熱論云頰下逆顴爲大瘕下牙車爲腹滿

氣穴之曲牙二穴次注之頰車穴也

氣府之少陽脉氣所發耳下牙車之後各一次註之頰車穴也

本藏之耳好前居牙車者腎端正

頷〻胡男切又胡感切　說文頷面黄也从頁含聲胡感切按說文顄頤也从頁圅聲胡男切又有頷字頷顄也从頁合聲胡感切　正字通頷寒暖切含上聲頤頷也又云頤含物處

張氏云頷腮下也

至真要次註頷頰車前牙之下也

經筋之足少陽之筋下走頷上結於頄

又云手太陽之筋出耳上下結於頷

又云手陽明之筋上左角絡頭下右頷

經別之足少陽之正別者上挾咽出頤頷中散於面

衛氣行篇之別者以上至耳前合於頷脈注足陽明

甲乙大迎在曲頷前一寸三分

頤 與之切 說文𦣝顄也象形頤篆文 顏師古云下頷

曰頤 釋名云頤養也動於下應於上上下咀物以養人也

骨空任脈上頤循面 又云上頤環唇 張氏云頷中爲頤馬氏云頷下爲頤

經脈云足陽明循頤後下廉

刺熱云腎熱病頤先赤

甲乙承漿在頤前唇之下

骨空云髮至頤長一尺君子終折

陰陽二十五人云水形人廣頤
經別之足少陽之正別者出頤頷中散於面
骨空之漸者上俠頤也次註謂大迎穴

人中

經脉之手陽明還出挾口交人中
聚英海集之水溝穴在鼻下口上一名人中蓋人身居天地之
中也天氣通於鼻地氣通於口天食之以五氣鼻受之地
食之以五味口受之穴居其中故名之曰人中 或曰人有九竅自

人中以上者皆兩 自人中以下者皆一為天地交泰之義

者鑿矣

釋名云鼻下曰立人取立於鼻下狹而長似人立也

師傳云脣厚人中長以候小腸

經脉云肌肉軟則舌萎人中滿人中滿則脣反

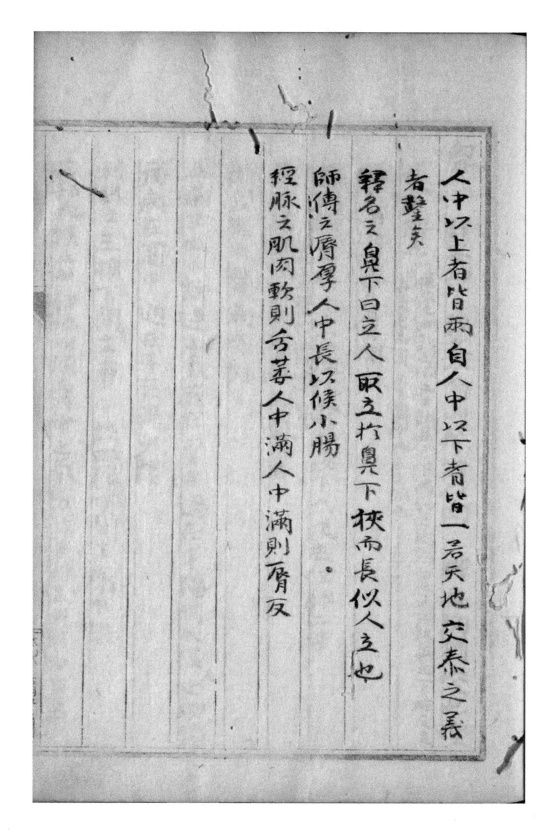

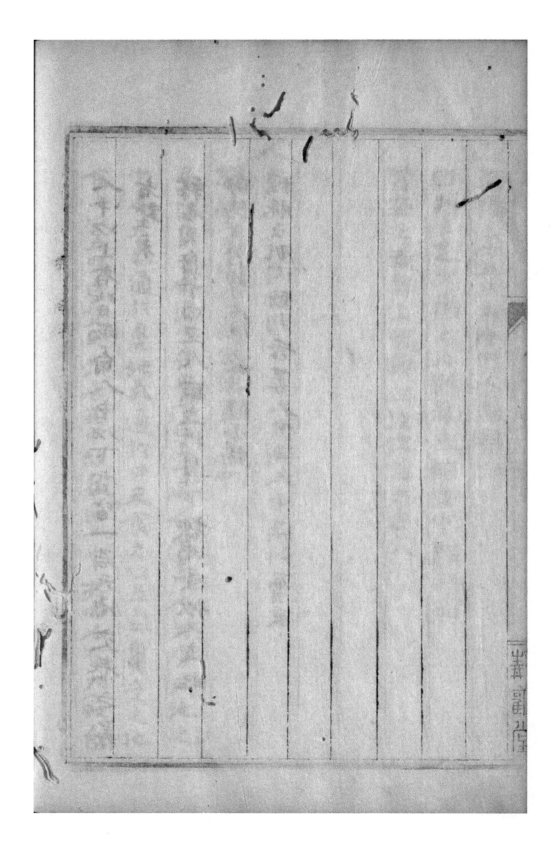

胷 許容切 說文从勹凶聲或从肉 釋名胸猶啌也啌氣所衝也 滑氏云兩乳之間又云缺盆之下兩乳之間為胷又云缺盆之下鳩尾之上是之為胷又云胷中兩乳之間也

腹中論次注胷膺間也

氣穴論胷俞十二穴次註俞府以下六穴去任脉二寸

脉要精微 上附上右外以候肺内以候胷中 次注之胷中主氣管

衛氣篇之胷氣有街

五藏生成云欬逆上氣厥在胷中過在手陽明太陰 又心煩頭痛病在鬲中過在手巨陽少陰

刺熱云三椎下間主胷中熱四椎下間主鬲中熱

三部九候之中部地以候胷中之氣 次注云形藏四者四胷中

也

五藏生成云積氣在胷中喘而虛名曰肺痺

雜病云氣逆上刺下胷動脈類注云中府穴

脹論胷腹者藏府之郭也

脈要精微云背者胷中之府也

骨度云胷圍四尺五寸

金匱真言云南風病在心俞在胷脇

邪客云宗氣積於胷中出於喉嚨

五味篇云大氣之摶而不行者積於胷中名曰氣海

經脈云足少陰從肺出絡心注胷中

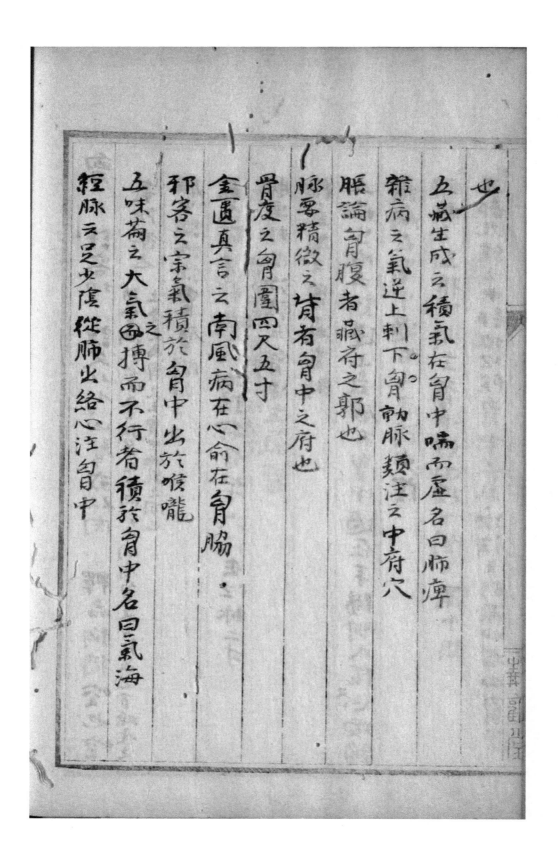

又云心主手厥陰心包絡之脉起於胷中出属心包絡 又其支者循
胷出脇下腋三寸
又云足少陽合缺盆以下胷中貫膈 又下腋循胷過季脇
又云手少陽之別注胷中合心主
又云脾之大絡布胷脇
經別云足少陽之正別者入季脇之間循胷裏屬膽
又云手少陽之正下走三焦散於胷中
又云手心主之正別下淵腋三寸入胷中別属三焦
經筋云足太陰之筋結於肋散於胷中
又云手太陰之筋上結缺盆下結胷裏

又云手心主之筋支者入腋散胷中結於賁

又云手少陰之筋挾乳裏結於胷中循賁

骨空云衝脉挾臍上行至胸中而散

脉度云蹻脉入陰上循胷裏

營衛生會云上焦貫膈而布胷中走腋

寶命全形論是謂壞府次注府謂胷也以肺居胷中故也

本藏云廣胷反骹者肝高　又　胷脇好者肝堅

癲狂云取之下胷二脇頰注云胸之下左右二脇之間蓋足厥

陰之章門期門

膻　徒旱切

三十一難云膻中上焦其治在膻中玉堂下一寸六分直兩乳間陥者中

脹論膻中者心主之宮城也

脉要精微云上附上左外以候心内以候膻中　次注云膻中則氣海也嗌也

經脉別論云毛脉合精行氣於府　次注府謂氣之所聚處也是謂氣海在兩乳間名曰膻中　又云膻中之布氣者分為三隧其下者走於氣街上者走於息道宗氣留於海積於胸中命曰氣海也

根結云足厥陰結於玉英絡於膻中

經脉云手少陽布膻中散絡心包　又其支者從膻中上出缺盆

營氣篇云合手少陽上行注膻中散於三焦

缺盆

洪云巨骨上陷中爲缺盆

師傳云五藏六府心爲之主缺盆爲之道

骨度之結喉以下至缺盆中長四寸 缺盆以下至髑骬長九寸

經脉之手陽明上出柱骨之會上下入缺盆絡肺

又云足陽明循喉嚨入缺盆下膈 又從缺盆下乳內廉

又云手太陽交肩上入缺盆絡心 又從缺盆循頸上頰

又云手少陽上肩而交出足少陽之後入缺盆布膻中 又從膻

中上出鈌盆上項

又云足少陽至肩上却交出手少陽之後入鈌盆 又下頸合

鈌盆以下胷中 又直者從鈌盆下腋

經別之手少陽之正別巔入鈌盆下走三焦

又云手陽明之正上循喉嚨出鈌盆

又云手太陰之正散之大腸上出鈌盆循喉嚨

經筋之足太陽之筋支者入腋下上出鈌盆上結於完骨

又云足少陽之筋。繫於膺乳結於鈌盆直者上出腋貫鈌盆出太陽之前

又云足陽明之筋上腹而布至鈌盆而結

又云手太陰之筋入腋下出鈌盆結肩前髃上結鈌盆下結

胷裏

瘧論二十六日入於脊內注伏膂之脉其氣上行九日出於缺盆之中

本俞云缺盆之中任脉也名曰天突

脉度云蹻脉上循胷裏入缺盆上出人迎之前

氣府論缺盆外骨空各一次注云天髎穴 又云天髎在肩缺盆中上伏骨之陬陷者中

天髎次注云在頸缺盆上直扶突氣舍後

甲乙肩凡二十六穴缺盆一名天蓋在肩上橫骨陷者中

骨空論注手陽明脉氣所發氣府論注足陽明脉氣所發

失枕在肩上橫骨間次注謂缺盆穴也

骨空之上氣府者治其喉中央在缺盆中者次注云中謂
缺盆兩間之中天突穴在頸結喉下同身寸之四寸中央
穴之中陰維任脉之會
又云缺盆骨上切之堅動筋者灸之次注云經闕其名
刺禁云刺缺盆中内陥氣泄令人喘欬逆次注云五藏者肺為
之蓋缺盆為之道云云

巨骨 巨其呂切大也 楊云臂上横骨
甲乙云雲門在巨骨下氣戶兩傍各二寸 又氣戶在巨骨下

輸府兩傍各二寸　又　輸府在巨骨下去璇璣傍各二寸

膺　於陵切　說文作癰胷也从肉雍聲　馮氏云胷前為膺一曰胷兩傍高處為膺　釋名云膺壅也氣所壅塞也

氣穴膺俞十二穴次注云雲門以下六穴去任脈六寸

氣府足陽明脉氣所發膺中骨陷各一次注云謂膺窓等六穴也　又　任脉之氣所發膺中骨陷各一次注云謂璇璣華蓋紫宮玉堂膻中中庭六穴也

膻中論次注膺胷傍也胷膺間也

本藏云背膺厚者肺端正 又 膺腹好相得者肝端正 又
巨肩反膺陷喉者肺高
經筋云足陽明之筋走腋前廉繫於膺乳

乳 而主切
剌禁云剌乳上中乳房 次注云乳之上下皆足陽明之脉也
乳房之中乳液滲泄胸中氣血皆外湊之
經脉云足陽明從缺盆下乳內廉

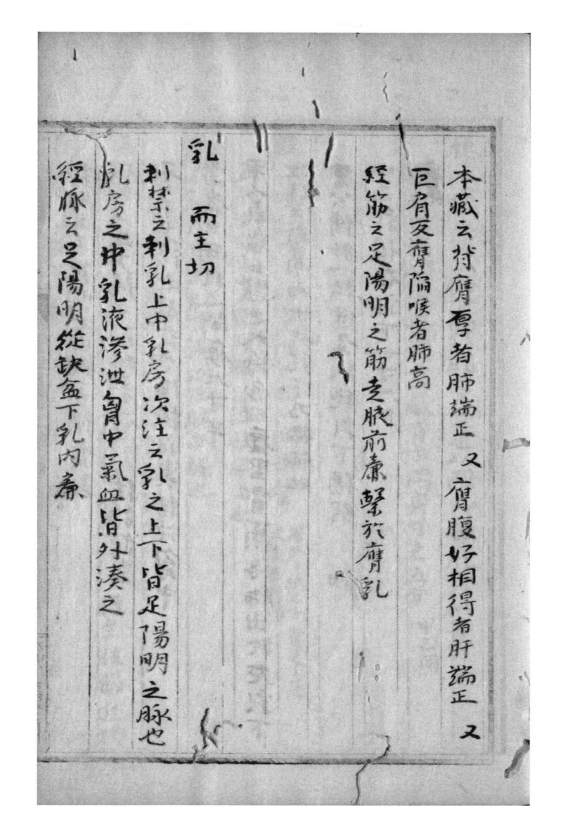

經別之手陽明之正從手循膺乳
經筋云足少陽之筋繫於膺乳結於缺盆
又云手少陰之筋交太陰挾乳裏結於胸中
骨度之兩乳之間廣九寸半
平人氣象之胃之大絡名曰虛里貫鬲絡肺出於左乳下
次注云自鬲而出於乳下乃絡肺也
倉公傳肝一絡連屬結絶乳下陽明
甲乙乳根在乳下一寸六分
[illegible]

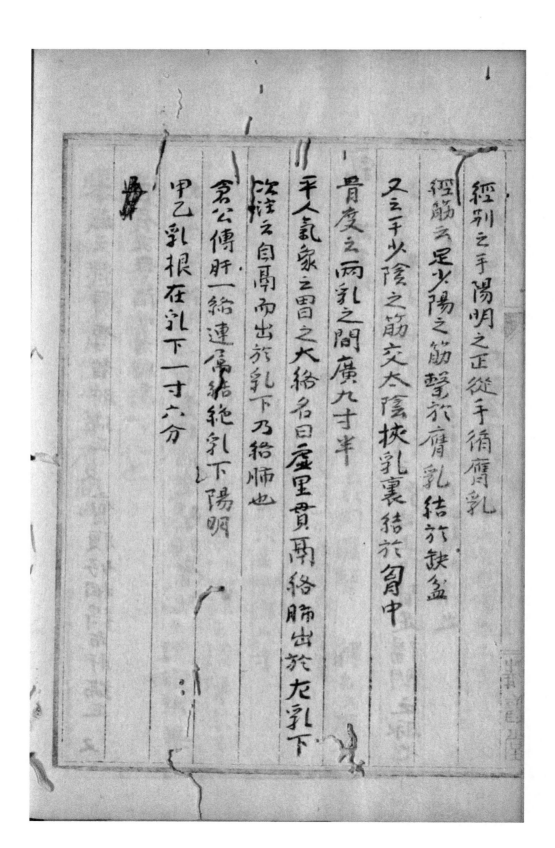

臆　於力切　說文作肊胷骨也从肉乙聲肊或从意

氣府次注鳩尾在臆前蔽骨下同身寸之五分　甲乙同

胠　去劫切　說文亦下也从肉去聲　潘氏云腋之下胷之上也　史家去魚切

五藏生成云支膈胠脇次注胠脇上也

欬論肝欬兩胠下滿次注胠亦脇也

刺瘧云傍五胠俞各一次注謂譩譆穴

五藏生成云積氣在心下支胠名曰肝痺次注肝主胠脇近於

心故氣積心下又支胠也

脇　虛業切　説文兩膀也从肉劦聲　釋名脅挾也在兩
旁臂所挾也
至真要厥陰在泉兩脇裏急次注云脇謂兩乳之下及胠外
也
經脉之心主手厥陰循胷出脇下腋三寸
又云足少陽絡肝屬膽循脇裏出氣街
又云足厥陰上貫膈布脇肋循喉嚨之後
又云脾之大絡出淵腋下三寸布胷脇
經筋之足陽明之筋結於髀樞上循脇屬脊

又云手心主之筋結腋下下散前後挾脇

又云手太陽之筋病息賁脇急吐血

欬論云脾欬欬則右脇下痛次注云脾氣主右

病形云氣上而不下積於脇下則傷肝

刺禁云刺腋下脇間内陷令人欬

十八難云右脇有積氣得肺脉結

本藏云合脇兔骹者肝下胷脇好者肝堅脇骨弱者肝脆

脇骨偏舉者肝偏傾也

又云合腋張脇者肺下脇偏踈者肺偏傾也

至真要云陽明之復病生胠脇氣歸於左

又云厥陰之勝胠脇氣并化而爲熱

脉要精微云陛若搏因血在脇下令人喘逆次注云肝主兩

脇

九鍼論左脇應春分其日乙卯　又右脇應秋分其日辛酉

本藏云肺下則居賁迫肺善脇下痛　又肝大則脇下痛　又

肝高則上支賁切脇悗爲息賁　肝下則逼胃脇下空脇

下空則易受邪　又肝偏傾則脇下痛

病形云胃病者腹䐜脹胃脘當心而痛上支兩脇

又云其中於膺背兩脇亦中其經

五邪云取之行間以引脅下

骹 口交切 脛也从骨交聲 韻會引周禮注人脛近足細於股者謂之骹 本藏篇 廣胸反骹者肝高合脇兎骹者肝下 類注 今詳反骹兎骹以證肝似以脇下之骨為骹 反骹者脇骨高而張也 兎骹者脇骨低合如兎也

氣府足少陽脉氣所發腋下三寸脇下至胠八間各一 次注謂淵腋以下至居髎九穴

肋 盧則切 說文脅骨也从肉力聲 釋名肋勒也檢勒五藏也

經筋足太陰之筋循腹裏結於肋散於胷中

甲乙天池在乳後一寸腋下三寸著脇直腋撅肋間

氣府次注之自腋下三寸至季肋凡八肋骨

經脉足厥陰上貫膈布脇肋循喉嚨之後

季脇 張云 脅下小肋 又云 脅下盡處短小之肋是為季脇 季小也

經脉云足少陽直者循胸過季脇下合髀厭中
經筋云足少陽之筋直者上乘䏚季脇上走腋前廉
又云手太陰之筋合賁下抵季脇
二十八難云帶脉者起於季脇回身一周
骨空两季脇之間灸之次注謂京門穴
四十五難云藏會季脇滑氏云章門穴也為脾之募五藏
取稟於脾故為藏會
骨度云腋以下至季脇長一尺二寸季脇以下至髀樞長六
寸
經別云足少陽之正別者入季脇之間循胸裏屬膽

膈　古核切　釋名膈塞也塞上下使氣與穀不相乱也
猾氏云膈者隔也凡人心下有膈膜与脊脇周迴相著所以
遮隔濁氣不使上熏於心肺也
氣厥論鬲消次注心肺之間中有斜膈膜鬲膜下際內連
於橫鬲膜
官能云鬲有上下知其氣所在
診要經終云中鬲者爲傷中次註鬲連於脇際文之鬲傷
則五藏之氣互相剋伐

脉要精微云左外以候肝内以候鬲 次註肝主賁賁鬲也

三十一難云上焦者在心下下鬲在胃上口

三十二難云心肺獨在鬲上云云

十八難云中部法人主鬲以下至臍之有疾

至真要云厥陰之勝胃鬲如寒 次注心下臍上胃之分胃鬲

謂胃脘之上及大鬲之下

經脉云手太陰循胃口上鬲屬肺

又云手陽明絡肺下鬲屬大腸

又云足陽明入缺盆下鬲屬胃

又云足太陰屬脾絡胃上膈挾咽　又從胃別上膈注心中
又云手少陰屬心系下膈絡小腸
又云手太陽絡心循咽下膈抵胃
又云足少陰從腎上貫肝膈入肺中
又云手厥陰出屬心包絡下鬲歷絡三焦
又云手少陽散絡心包下鬲循屬三焦
又云足少陽下胸中貫鬲絡肝屬膽
又云足厥陰屬肝絡膽上貫膈布脇肋　又從肝別貫鬲上
注肺
平人氣象云胃之大絡名曰虚里貫鬲絡肺出於左乳下

太陽篇陽氣微膈氣虛脉乃數

又三動數變遲膈内拒痛　又胃中空虛客氣動膈短氣躁

煩心中懊憹

厥陰篇蚘上入膈

金匱膈間支飲其人喘滿

又膈間有水眩悸

又嘔吐而病在膈上後思水者解

平脉法浮緊相搏腸鳴而轉轉即氣動膈氣乃下

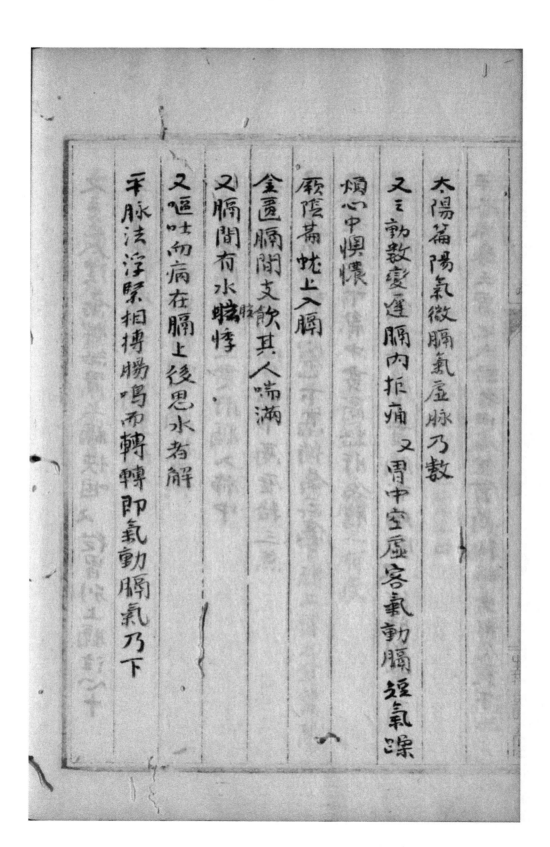

四十五難之血會鬲俞

氣穴之絡胷脇支心貫膈上肩次注謂督脉支絡

賁

繆刺論氣上走賁上 新校正云按難經胃為賁門楊玄操云

賁鬲也

經筋手太陽之筋結胷裏散貫賁合賁下抵季脇

又手心主之筋散於胷中結於賁

又手少陽之筋結於胷中循賁下繫於臍

髃骬　髃胡葛切骬羽俱切

本藏篇類注音結於一名鳩尾一名尾翳蔽心骨也

氣府云鳩尾下三寸胃脘云云次注鳩尾心前穴名也其正

當心蔽骨之端言其骨垂下如鳩鳥尾形故以爲名也又云

鳩尾在臆前蔽骨下同身寸之五分任脉之别不可灸刺

人無蔽骨者從岐骨際下行同身寸之一寸

骨度云缺盆以下至髃骬長九寸過則肺大不滿則肺小髃

骷 師傳篇骷骨有餘以候髑骬注證類注骷作骺云髑骬之骨端曰骷骨 又長刺節論病在少腹有積刺皮骷以下至少腹而止 次注皮骷謂齊下同身寸之五寸横約文 新校正云按釈音皮骷作皮骷 骷苦末切是骷誤作骷也 皮骷者蓋謂齊下横骨之端也 全元起作皮髓云齊傍埵起也 亦未為得 骷古活切 說文骷骨端也从骨昏声

骬以下至天樞長八寸過則胃大不及則胃小

經脉云任脉之别名曰尾翳下鳩尾散於腹

本藏云無髑骬者心高髑骬小短舉者心下髑骬長者心堅髑骬弱小以薄者心脆髑骬直下不舉者心端正髑骬倚一方者心偏傾也

師傳云五藏六府心為之主缺盆為之道骷骨有餘以候髑骬

甲乙中脘居心蔽骨與臍之中

腹　方六切　說文厚也从肉复聲　釋名腹複也富也
腸胃之屬以自裹盛復於外複之其中多品似富者也
類經云臍之上下皆曰腹
金匱真言云言人身之陰陽則背為陽腹為陰
評熱病云腹者至陰之所居
脹論云胸腹藏府之郭也
又云藏府之在胸脇腹裏之内也若匣匱之藏禁器也
各有次舍異名而同處一域之中其氣各異

衝氣篇云腹氣有街 又氣在腹者止之背腧與衝脉於臍左右之動脉者

經脉云足陽明支者起於胃口下循腹裏

又云足太陰上膝股内前廉入腹屬脾

又云任脉之別下鳩尾散於腹實則腹皮痛

經別云足陽明之正上至髀入於腹裏屬胃

經筋云足陽明之筋聚於陰器上腹而布至缺盆而結

又云足太陰之筋聚於陰器上腹結於臍

氣府云 任脉之氣所發者二十八穴云云 衝脉氣所發者二十二穴云云 此腹脉法也

骨空云任脉上毛際循腹裏上關元至咽喉

藏氣法時云腎病虛則大腹小腹痛

水脹云腹色不變 又 鼓脹腹筋起

湯液醪醴次注云水氣格拒於腹膜之内

衛氣失常云衛氣之留於腹中搐積不行云云 腹皮急甚者

不可刺也

又云膏人縱腹垂腴

營氣篇云入臍中上循腹裏入缺盆

五音五味云衝脈任脈其浮而外者循腹右上行會於咽喉 次注十三卷五枝作各

小腹　釋名云自臍以下曰小腹水汋所聚也又曰少腹少小也比於臍以上爲小也

氣交變云歲金太過兩脇下少腹痛　次注少腹謂臍下兩傍髎骨内也

經脉云厥陰過陰器抵小腹挾胃

骨空云督脉者起於少腹以下骨中央 又 其少腹直上者貫

臍中央

痺論云胞痺者少腹膀胱按之內痛

五藏生成云積氣在小腹與陰名曰腎痺

脉要云病名心疝少腹當有形也云云 次注云小腹小腸也

寒熱病云體惰取其小腹臍下三結交 三結交者陽明太陰也

臍下三寸關元也

四時氣云小腹控睾引腰脊上衝心邪在小腸

又云小腹痛腫不得小便邪在三焦約 三焦病者

病形云腹氣滿小腹尤堅

又云小腸病者小腹痛腰脊控睾而痛
又云膀胱病者小腹偏腫而痛

臍　徂兮切　說文肶齊也从肉齊聲　釋名臍劑也腸端之所限劑也　說文毗人臍也从囟囟取氣通也从比聲房脂切

經脉云足陽明下乳内廉下挾臍入氣街中
經筋云足太陰之筋上腹結於臍循腹裏

又云手少陰之筋循貫下繫於臍
氣穴論臍一穴次注云臍中也
骨空衝脈者起於氣街並少陰之經俠臍上行至胸中而散
又云其少腹直上者貫齊中央上貫心
又云齊下營 次注云謂齊直下同身寸之一寸陰交穴任脈陰
衝之會
氣溢於大腸而著於肓
奇病云肓之原在臍下故環臍而痛
腸胃篇其注於迴腸者外附於臍上迴運環十六曲 又迴腸
當臍左環迴周葉積而下 難經作右環 次注同
腹中論居臍上為逆居臍下為順

師傳之胃中熱臍以上皮熱 又腸中熱臍以下皮熱

霍乱篇之臍上築者腎氣動也

金匱五藏風寒篇心傷者當臍跳

又水氣篇之腎水者腹大臍腫

十六難得肝脉其内證臍左有動氣按之牢若痛心脉齊上有動氣脾脉當臍有動氣肺脉齊右有動氣腎脉齊下有動氣

六微旨之何謂氣交曰上下之位氣交之中人之居也故曰天樞之上天氣主之天樞之下地氣主之氣交之分

人氣從之万物由之此之謂也 次注云 天樞當臍之兩傍
也所謂身半矣伸臂指天則天樞正當身之半也 三
分折之上分應天下分應地中分應氣交云云
骨度云 髑骬以下至天樞長八寸 过則胃大 不及則胃
小 天樞以下至橫骨長六寸半 過則廻腸廣長 不滿
則狹短

眇

云字通　弭沼切

玉機真藏次注眇者季脅之下俠脊兩傍空軟處也腎外當眇故眇中清冷

經筋足少陽之筋直者上乘眇季脅

骨空眇絡季脅引少腹而痛脹刺譩譆

橫骨

骨度云橫骨長六寸半

張氏云陰毛中曲骨也　馬氏云曲骨之分為毛際毛際下乃橫骨也

甲乙曲骨在横骨上中極下一寸毛際陷者中動脉應手任脉足厥陰之會又云横骨一名下極在大赫下一寸衝脉足少陰之會

骨空云督脉者起於少腹以下骨中央

肩　古賢切項下　說文髆也从肉象形　釋名云肩堅也甲闓也与胷脇相會闓也

經脉云手陽明上肩出髃骨之前廉

又云手太陽上循臑外後廉出肩解繞肩胛交肩上入缺盆

又云手少陽循臑外上肩而交出足少陽之後

又云足少陽循頸行手少陽之前至肩上交出手少陽之後

通評虛實大骨之會注大骨會肩也謂肩貞穴

邪客云地有高山人有肩膝

真言云西風生於秋病在肺俞在肩背

本藏云好肩背厚者肺堅肩背薄者肺脆

師傳云巨肩陥咽候見其外

骨度云肩至肘長一尺七寸

肩解

類注云脊上兩角爲肩解又云肩後骨縫曰肩解即肩貞也

氣府手太陽脉氣所發肩解各一次註云謂秉風二穴也在肩上小髃骨後擧臂有空手太陽陽明手足少陽四脉之會又肩解下三寸各一次注云謂天宗二穴也在秉風後大骨下陥者中手太陽脉氣所發又手少陽脉氣所發肩貞各一次註云

謬肩貞穴名也在肩曲胛下兩骨解間肩髃後陥者中手

髃骨　甲乙天窌在肩缺盆中髃骨之間陷者中　髃兵媚切　次注作伏骨

太陽脉氣所發

氣穴肩解二穴次注云謂肩井也在肩上陷解中缺盆上大骨前

手足少陽陽維之會

經別手太陽之正別於肩解入腋

胛　古押切背胛　正字通兩髆間背甲與胸脇相會闔之處也俗謂肩甲

類註云肩解下成片骨也亦名肩髆

經脉云手太陽繞肩胛

又云足太陽從髆內左右別下貫胛挾脊內

又云督脉之別下當肩胛左右別走太陽入貫膂

經筋手陽明之筋支者繞肩胛挾脊

又手太陽之筋上繞肩胛循頸

法時云心病者膺背肩甲間痛

甲乙經肩凡二十六穴中 肩貞在肩曲胛下兩骨解间肩髃後陷者中 又肩外俞在肩甲上廉去脊三寸陷者中 又肩中俞在肩甲内廉去脊二寸陷者中 又曲垣在肩中央曲甲陷者中 又臑俞在肩臑後大骨下胛上廉陷者中

髆

補各切音髆　說文肩胛也从骨尃聲　△正字通髆字下

骨空云兩髆骨空在髆中之陽 次注云近肩髃穴

經脉云足太陽下項循肩髆内挾脊 又支者從髆内左右别下貫胛 滑氏云肩後之下為肩髆

小髃 甲乙秉風俠天窌在外肩上小髃骨後舉臂有空

骨空督脉別繞臂至少陰与巨陽中絡者合云云

正字通肩髃在髆骨頭肩端上兩骨罅中字林曰肩前兩乳骨今俗曰肩頭

髃 五口切又音禺 說文肩前也从骨禺聲

經脉手陽明上肩出髃骨之前廉 之廉

滑氏曰肩端兩骨之間爲髃骨 張氏曰肩端骨罅

又云手太陽之別上走肘絡肩髃

又云手陽明之別者上循臂乘肩髃

經別云手陽明之正循膺乳別於肩髃入柱骨

經筋云足太陽之筋支者從腋後外廉結於肩髃

又云手陽明之筋直者從肩髃上頸
又云手太陰之筋入腋下出缺盆結肩前髃
氣府云手陽明脈氣所發髃骨之會各一

背 蒲昧切 說文脊也从肉北聲 釋名背倍也在後稱也
真言云背爲陽腹爲陰
又云西方白色入通于肺云云病在背

又云秋氣病在肩背

脉要云背者胸中之府

氣穴背俞二穴次注謂大杼穴

骨空云治其背内次注謂大杼穴

氣府足太陽脉氣所發俠背以下至尻尾二十一節十

五間各一次注脊附分以下十三穴

骨空譩譆在背下俠脊傍三寸所云云次注在肩髆内

廉俠第六椎兩旁各同身寸之三寸

五音五味云衝脉任脉皆起於胞中上循背裏爲經絡

之海

骨空 項髮以下至背骨長二寸半 甲乙作三寸

寒熱病篇云五藏身有五部 背三五藏之腧四

水熱穴云背俞次注云即風門熱府俞也

衛氣行云下足太陽循背

背腧篇云願聞五藏之腧出於背者云云

脊 資昔切 說文脊背呂也从𠂌从肉 釋名脊積也積續骨節終上下也 張氏云中行椎骨曰脊又云脊骨外小而内大人之臟負重者以是骨之巨也

經脈云足太陽循肩髆内挾脊抵腰中 又貫胛挾脊内

又云足少陰上股内後廉貫脊屬腎

經筋云足太陽之筋上挾脊上項

又云足陽明之筋上循脇屬脊

又云足太陰之筋內者著於脊

又云足少陰之筋結於陰器循脊內挾膂

又云手陽明之筋繞肩胛挾脊

營氣云合足之太陽循脊下尻

又云其支別者下項中循脊入骶是督脉也

氣府論脊椎法

骨空云一在脊骨上空在風府上脊骨下空在尻骨下空

腸胃篇云小腸後附脊 又廣腸傳脊以受迴腸

四時氣云邪在小腸者連睪系屬於脊貫肝肺

真言云中央爲土病在脾俞在脊

歲露云二十二日入脊内注於伏衝之脉

玉機云腎脉太過脊脉痛又不及脊中痛

膂　又作呂膐力與切　説文脊骨也象形篆文膂从肉从旅　顔師古云膂夾脊肉肉也　馮氏云脊骨曰呂又云夾脊兩傍之肉也

經脉云入循膂絡腎（足少陰抵腰中）

又云督脉之別名曰長強挾膂上項　又別走太陽入貫膂

經別云足太陽之正直者從膂上出於項

經筋云足少陰之筋循脊內挾膂上至項

骨度云膂骨以下至尾骶二十一節長三尺　又上七節至於

膂骨九寸八分分之七

病傳云（病先發於）二日而之腎　三日而之膂膀胱

百病始生云其著於膂筋在腸後者饑則積見

瘧論二十六日入於脊內注伏膂之脉　次注云伏膂之脉

者謂膂筋之間腎脉之伏行者也云云不正應行穴但循

脊伏行故謂之伏脊脉 新校正之甲乙作太衝之脉巢元方

作伏衝 外臺作伏衝

邪氣客於風府循脊而下

又次注脊謂脊兩傍也

氣穴之中脂兩傍各五凡十穴

八風之大剛風其傷人也內舍於腎外在於骨与肩背之膂

筋

椎 又作顀焦 顀直追切項顀

顀

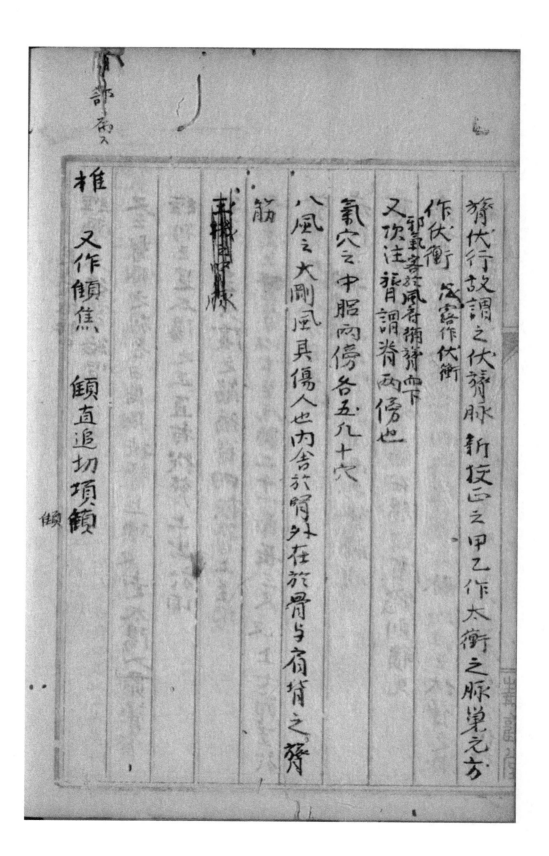

氣府之督脉氣所發者大椎以下至尻尾及傍十五穴
至骶下凡二十一節脊椎法也 次注云墳(適)骨三節即二十四
節也
骨空風府在上椎次注上椎謂大椎上入髮際同身寸
之一寸
背腧之肺俞在三焦之間類注云焦即椎之義指脊骨之
脊間也古謂之焦亦謂之顀後世作椎
瘧論其出於風府日下一節二十五日下至骶骨 新校云
云全元起甲乙太素作二十一日
刺禁次注脊間謂脊骨節間也

刺熱論三椎下間主胃中熱次注脊節謂之椎

甲乙經七卷項椎不可左右顧

杼骨 直呂切說文機之横持緯者从木予聲

背腧之背中大腧在杼骨之端類注之大杼穴也在項

後第一椎兩傍

胂 矢人切 說文夾脊肉也从肉申聲 正字通一說胂本作夤籀文作夤臏易列其

夤

刺腰痛云腰尻交者兩髁胂上次注兩髁胂謂兩髁骨下堅起肉也胂上非胂之上巔正當刺胂肉矣直刺胂肉即胂上也

足太陽別下貫胛次注引之作胂刺膂痛論刺瘧論甲乙亦作胂

䏢 羊晋切 正字通脊肉也

二十五人云火形之人廣䏢銳面類注當脊肉也

骶 都計切 釋名云尾微也承脊之末稍微殺也

刺熱論七椎下間主腎熱榮在骶也次注脊窮之謂骶言

腎熱之氣外通尾骶也

骨度之脊骨以下至尾骶二十一節 張云尾骶骨男子者尖女子者圓而平

五色云至骶為深

癲狂云灸窮骨二十壯窮骨者骶骨也 又灸骨骶二

十壯 又刺骶上

氣府督脈氣所發大椎以下至尻尾及傍十五穴至骶下

二十一節

又次注會陽在陰尾骨兩傍

橛說文笄本所持也居月切
𩩲𩩲骨也从骨厥聲居月切

瘧論二十五日下至骶骨二十六日入於脊內
骨空灸寒熱之法灸橛骨次註尾窮謂之橛骨

腰

要於宵切
南畲引說文要身中也从𦥑从臼从人象人要自臼之形徐曰腰為中關所以自臼持也

滑氏云尻上横骨曰腰
渠氏云髀骨上曰腰

釋名腰約也在體之中約結而小也

刺節真邪云腰脊者身之大關節也

瘧論宗筋主束骨而利機關次注腰者身之大關節所以

司屈伸故曰機關

要、日月篇曰腰以上爲天腰以下爲地故天爲陽地爲陰

云云　經水篇亦同

經始云從腰以上者手太陰陽明皆主之從腰以下者足

太陰陽明皆主之

脉要云腰者腎之府

經脉云足太陽挾脊抵腰中入循膂　又從腰中下挾脊

貫臀

又云足少陰之別上走於心包下外貫腰脊

骨度云腰圍四尺二寸

甲乙腰俞一名背解一名髓空一名腰户

真言云北風病在腎俞在腰股

刺腰痛論所舉凡令人腰痛者

足太陽脉

少陽

陽明

少陰

厥陰　次注云厥陰脉其支別者与太陰少陽結於腰髁下挾脊第三第四骨空中其穴即中髎下髎

解脉　次注謂足太陽

5005

解脉　次注謂足太陽之別脉

同陰之脉　次注謂足少陽之別絡

陽維之脉　次注云謂陽維起於陽則太陽之所生

衡絡之脉　次注謂太陽之外絡

會陰之脉　次注謂足太陽之中經也其脉循腰下會於後陰故曰會陰之脉

飛陽之脉　次注謂是陰維之脉也去内踝上同身寸之五寸腨分中並少陰經而上也

昌陽之脉　次注謂陰陽脉也陰蹻者足少陰之別也

散脉　次注云足太陰之別也

肉里之脉　次注云少陽所生則陽維之脉氣所發也里裏也分肉主之

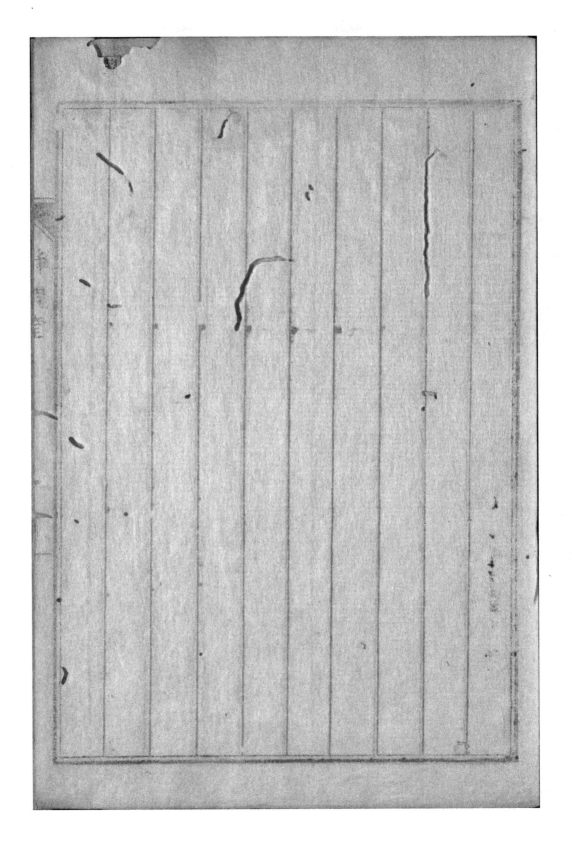

860
20

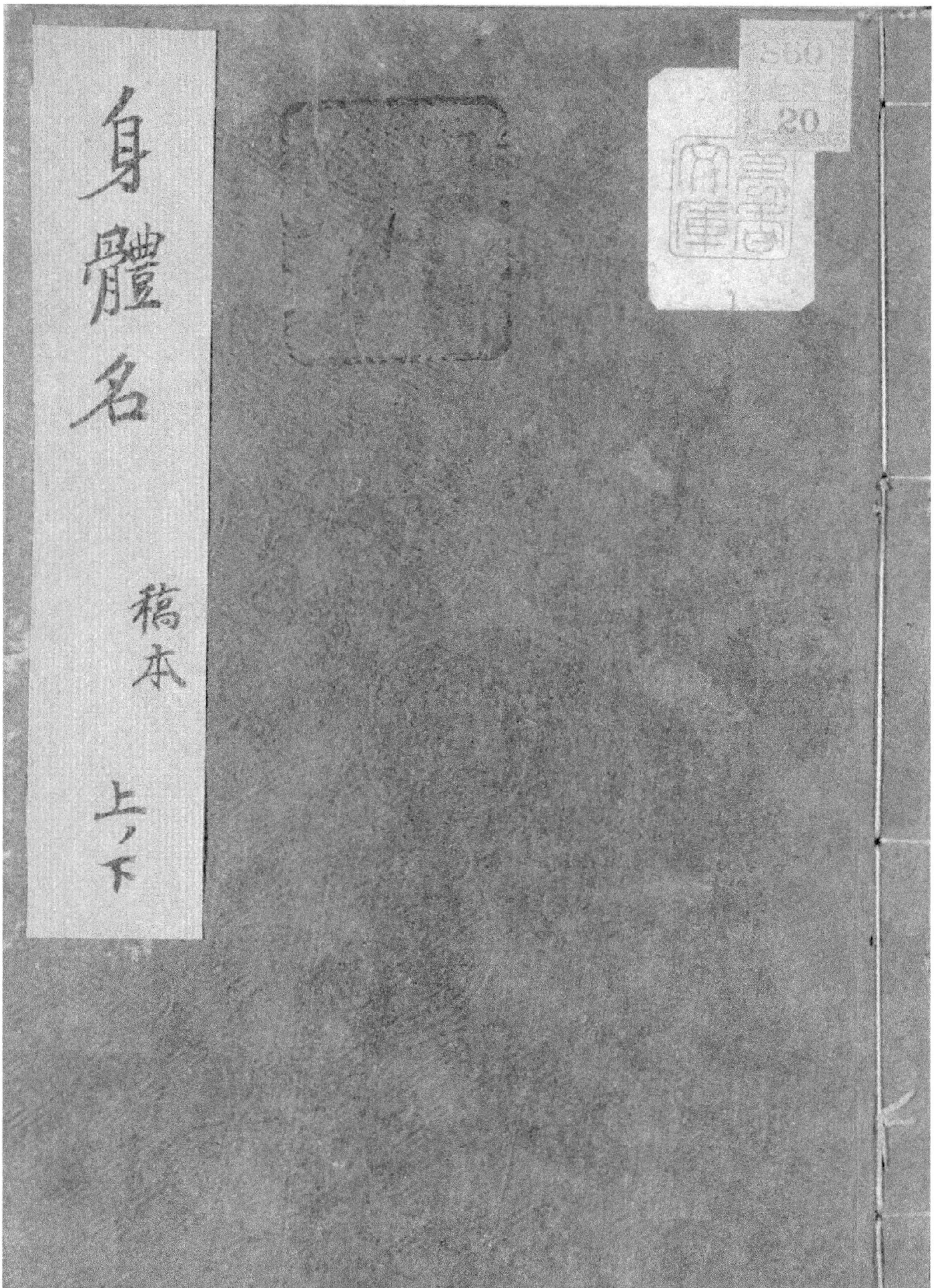
身體名
稿本
上ノ下
860
20

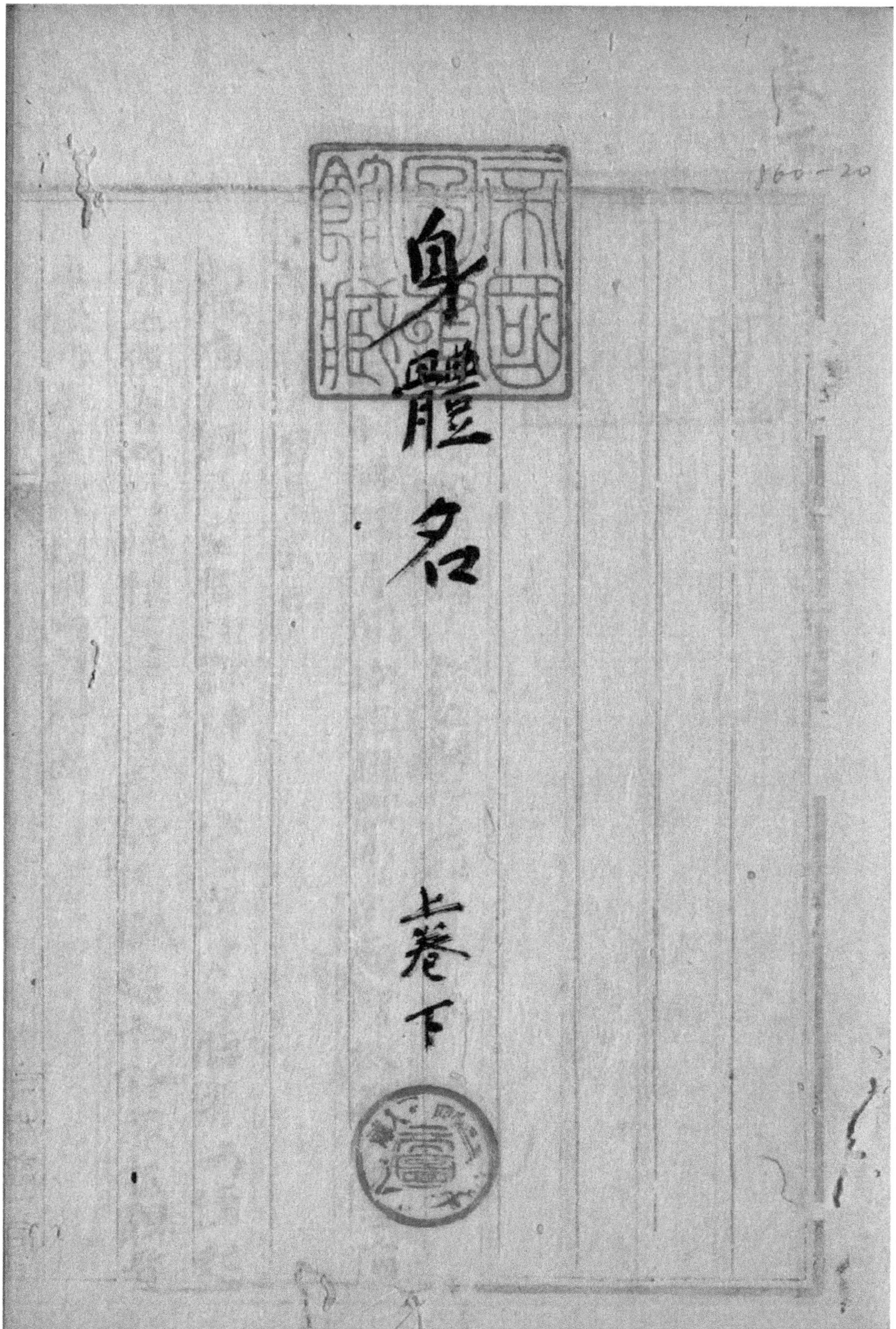
860-20
身體名
上卷下

上卷下

髁　苦卧切　俗作骻　說文髀骨也从骨从果

長刺節刺腰髁骨間　次注腰髁骨者腰傍挾脊平立陷

者中按之有骨處也

刺腰痛刺腰尻交者兩髁胂上　次注髁骨即腰脊兩傍起

骨也俠脊兩傍腰髁之下各有胂肉隴起而斜趣於髁骨

之後内承其髁故曰兩髁胂也

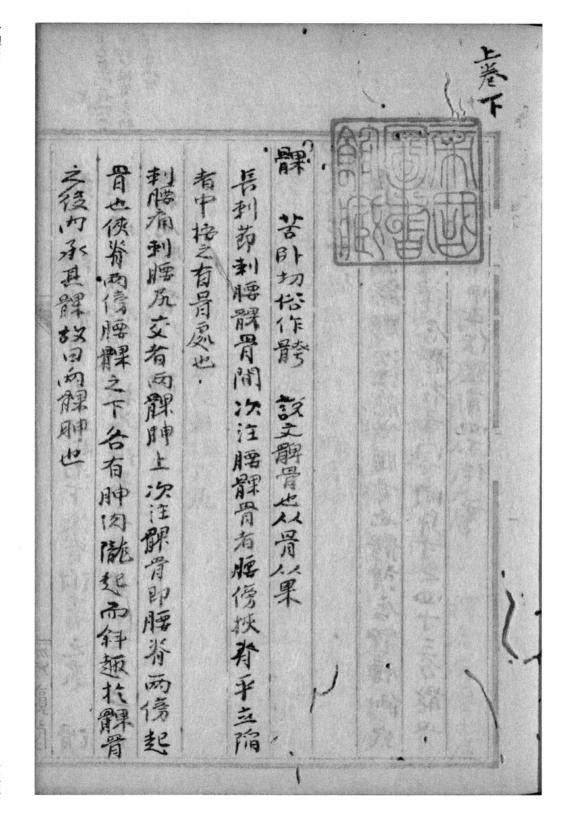

甲乙京門在監骨下腰中挾脊季肋下一寸八分

類注云即腰髁骨自十六椎而下俠脊附著之處 滑氏云腰髁即腰監骨挾脊附著之處其十七至二十凡四椎旁腰監骨所擦附

髂 枯架切

長刺節兩髂髎次注髂謂腰骨也髎謂居髎腰側穴也 氣府次注居髎在章門下同身寸之四寸三分髂骨上陷者中 甲乙作監骨 四寸作八寸

尻 苦刀切 説文尻脾也从尸九聲 釋名尻廖也尻

所在廖牢深也要髀股動搖如樞機也

氣府 脉滿起斜出尻脉絡胃脇之之次注之焉是督脉

支絡自尾骶出各上行絡脇支心

骨空脊骨下空在尻骨下空

二十五人云水形之人下尻長背延々然

經筋云足少陽之筋後者結於尻

類注云尻尾骶骨也亦名窮骨又云脊骨之末為尻骨

經別云足太陽之正其一道下尻五寸別入於肛

風論尻以代踵

癰疽之發於尻名曰銳疽

繆刺云邪客於足太陰之絡云云刺腰尻之解兩胂之上是腰俞次注腰尻骨間曰解當中有腰俞云云 新校正可考

骨空八髎在腰尻分間

刺腰痛刺腰尻交者兩髁胂上 次注腰尻交者謂髁下尻骨兩傍四骨空左右八穴俗呼此骨為八髎骨也 又足太陽厥陰少陽三脉左右交結於中故曰腰尻交者也

骨空尻骨空在髀骨之後相去四寸次注之是謂尻骨八髎穴也

水熱穴云尻上五行行五者此腎俞 骨空同

䈉 作管切集也張氏云屛翳兩筋間為䈉

下極 張氏云䈉內䐈深處為下極又云兩陰之間屛翳處也即會陰穴

氣衝 刺氣衝中脉血不出為腫

鼠僕 次注。氣衝在腹下俠齊兩傍相去四寸鼠僕上一寸動脉應手 新校正云僕一作鼷 氣府論注氣衝在齊下橫骨兩端鼠鼷上一寸 。云內結為腫如伏鼠之形也 甲乙作鼠鼷 鼠 書呂切穴蟲之總名也象形 鼷 胡雞切小鼠也从鼠奚聲

臀 徒渾切 尻髀䑢並同 說文髀也从尸下丌居几

釋名曰臀殿也高厚有殿遻也

類注云臀後為臀尻傍大肉也 說文云臀尻也

經脈云足太陽下挾脊貫臀入膕中

經筋云足太陽之筋上結於臀上挾脊

脽 示隹切 說文尻也从肉隹聲

羊矢 甲乙陰廉在羊矢下去氣衝二寸動脉中

脉解篇太陽所謂腫腰脽痛次注脽謂臀肉也

髖 苦官切 說文髀上也从骨寬聲 釋名髖緩也其腰皮厚而緩也

金匱水氣篇腰髖弛痛

骨空云侠髖為機 次注膝輔骨上腰髖骨下為楗楗上為機

類注髖尻臀也一曰兩股間也 正字通臀骨也股外曰髖髖下曰髀股上漸廣故从寬

機　髀樞　髀厭　樞　樞合

骨空云俠髖爲機　次注云楗上爲機　又云髖骨兩傍相接處　類注云機樞機也俠髖之外即楗骨上運動之機故曰俠髖爲機當環跳穴處是也

張氏云楗骨之下髀之上曰髀樞當環跳穴又云楗骨之下爲髀厭即髀樞中也又云足股曰髀髀上外側骨縫曰樞此運動之機也　馬氏云髀樞一名髀厭

繆刺云邪客於足少陽之絡令人留於樞中痛髀不可舉　次注樞謂髀樞也

氣穴云兩髀厭分中二穴　次注謂環跳穴也在髀樞後　甲乙後作中

氣府之足少陽脈氣所發髀樞中傍各一次注謂環跳二
穴也

骨度之季脇以下至髀樞長六寸

厥病論之足髀不可舉側而取之在樞合中

經脈之足太陽挾脊内過髀樞循髀外後廉
又足少陽繞毛際横入髀厭中　又過季脇下合髀厭中

經筋之足陽明之筋直上結於髀樞上循脇

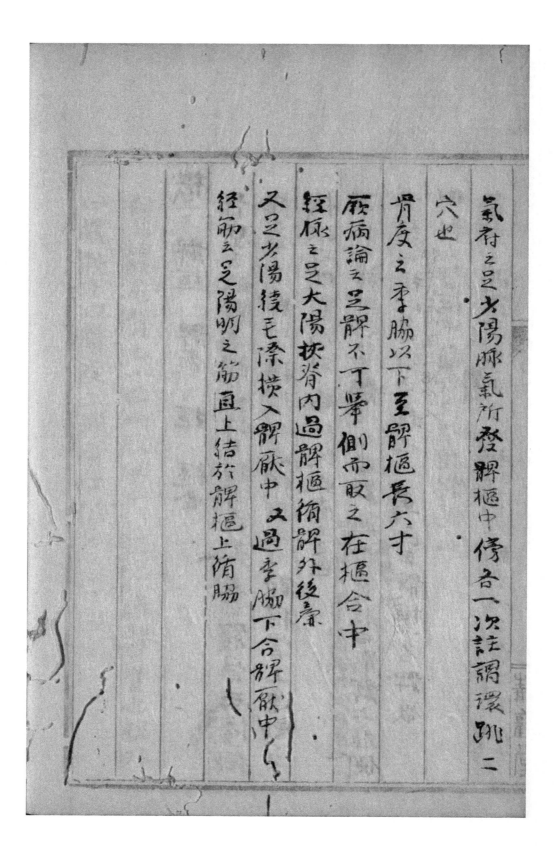

胑 章移切 體四胑也 荀子多胑或作支 作枝 集韻 或作肢通作支

次注筋骨血肉

四支 四末 四維 四極 手足

四關 八虛 八谿 八節

真言云冬氣者病在四支

瘧家云 清陽實四支濁陰歸六府 次注云四支外動故清陽實之

又云左手足不如右強

生成云四支八谿之朝夕 次注谿者肉之小會名也八谿謂肘膝腕也

繆醴云四極急而動中 又云微動四極 次注四極言四末則四支也 左傳云風淫末疾 靈樞經曰陽受氣於四末

脉要云其有躁者在手又其有静者在足
玉機云脾脉太過則令人四支不舉
注足ノ長脾之脉病尻陰股膝髀腨胻足皆痛
血氣形志云足太陽与少陰〻〻是為足陰陽也又是為
手之陰陽也
通評虚実云所謂從者手足温也所謂逆者手足寒也
太陰陽明云陰氣從足上行至頭而下行循臂至指端陽
氣從手上行至頭而下行至足
又云四支皆稟氣於胃而不得至經必因於脾乃得稟也
今脾病不能為胃行其津液四支不得稟水穀氣云新

按正云太素至經作徑至揚上善云胃以水穀資四支不
能徑至四支要因於脾得水穀津液營衛於四支
陽明脈解云四支者諸陽之本也陽盛則四支實實則能
登高也
逆調云四支者陽也
瘧論云中於手足者氣至手足而病
痿論云陽明虛則宗筋縱帶脈不引故足痿不用也
（足ノ表）厥論云陽氣衰於下則為寒厥陰氣衰於下則為熱厥次註
云下謂足也
又云陽氣日損陰氣獨在故手足為之寒也　又胃不和則精

氣竭精氣竭則不營其四支也 又腎氣日衰陽氣獨勝

故手足爲之熱也 文略

水熱穴云雲門髃骨委中髓空此八者以寫四支之熱

繆刺云夫邪客大絡者左注右右注左上下左右與經相干而

布於四末其氣無常處不入於經俞命曰繆刺 治注之四末言四支也

氣交變云其藏脾其病内舍心腹外在肌肉四支

示從容云四支解墮此脾精之不行也

十二原云五藏之氣已絶於外云云治之者反取四末

又云十二原出於四關四關主治五藏 類注四關即兩肘兩膝

乃周身骨節之大關也
本俞云六府皆出足之三陽上合於手者也
小針解云麤守關者守四肢而不知血氣正邪之往來也
又云脉口氣外絶不至反取其四末之輸
本神云脾氣虛則四支不用
五亂云亂於臂脛則爲四厥 之 氣在於臂足之取之先去血
脉後取其陽明少陽之滎輸
逆順肥瘦云手之三陰從藏走手 手之三陽從手走頭 足
之三陽從頭走足 足之三陰從足走腹
繫日月云足之陽者陰中之少陽也 足之陰者陰中之大

陰也手之陽者陽中之大陽也手之陰者陽中之少陰也

衛氣失常云肉之柱在臂脛諸陽分肉之間与足少陰分間

又云皮之部輸於四末

動輸云夫四末陰陽之會者此氣之大絡也四衛者氣之徑

路也故絡絶則徑通四末解則氣從合相輸如環

二十五人篇木形火形土形金形小手足　水形動手足

邪客云衛氣者出其悍氣之慓疾而先行於四末分肉皮膚

之間而不休者也

又云天有四時人有四肢

又云肺心有邪其氣留於兩肘肝有邪其氣流於兩腋脾有邪

其氣留於兩髀腎有邪其氣留於兩膕凡此八虛者皆機關之室真氣之所過血絡之所遊邪氣惡血固不得住留住留則傷經絡骨節機關不得屈伸故病攣也

制節之肢脛者人之管以趨翔也

八風之正風內舍於大腸外在於兩脇腋骨下及肢節

九針之左足應立春其日戊寅己丑左手應立夏其日戊辰己巳右手應立秋其日戊申己未右足應立冬其日戊戌己亥

師傳之本藏以身形支節䐃肉候五藏六府之小大焉

百病始生之在輸之時六經不通四肢則肢節痛

黄疸篇之女劳疸手足中熱

手 書久切 說文拳也象形 釋名手須也事業之所須也

陰陽別云三陽在頭三陰在手

二十五人云手少陽之脉下血氣盛則手捲多肉以溫血气皆少則寒以瘦 又手陽明之下血氣皆少則手瘦以寒

熱病論云兩手外内側各三凡十二痏

經脉云手少陽循手表腕

又云手太陽循手外側上腕出踝中

本俞云前谷在手外廉本節前

繆刺云視其手背脉血者去之

經別云手陽明之正從手循膺乳

釋名云足續也言續脛也

足　即玉切說文人之足也在下从止口徐曰口象股脛之形

惣家云上配天以養頭下象地以養足

生成云足受血而能步　又凝於足者為厥

釋體云陰陽繫日月云足之十二經脉以應十二月月生於水故在下者為陰

二十五人云足陽明之下血多氣少行則善高舉足

行針云重陽之人舉足善高

刺節云厥在於足宗氣不下脉中之血凝而留止

骨度云足長一尺二寸廣四寸半

癰疽云發於足傍名曰厲癰

又云發於足上下名曰四淫

本俞云涌泉者足心也

小鍼解云清濁地氣之中人也必從足始

太陽篇云足心必熱穀氣下流故也　又足下惡風

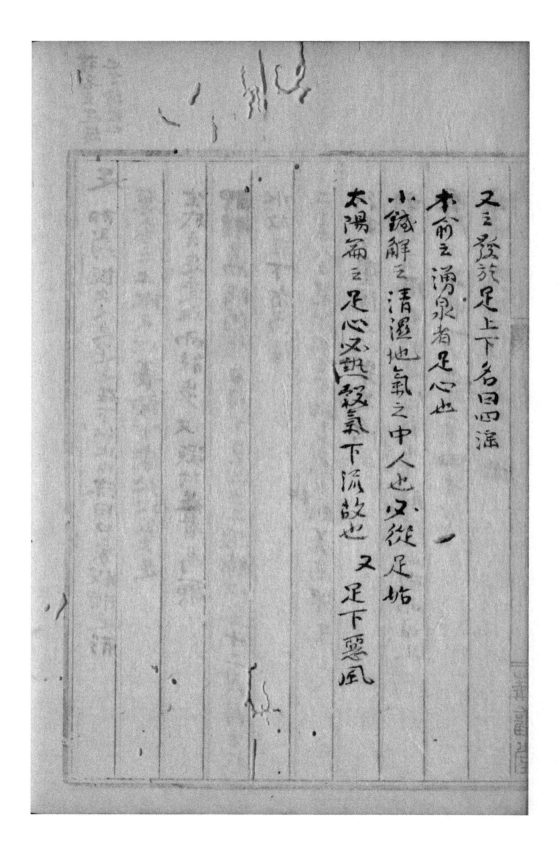

脚 居勺切 説文脛也从肉卻聲 釋名脚却也以其坐時却在後也

經脉云足太陽(項背)腰尻膕腨脚皆痛

經筋云(足陽明之筋病)脛轉筋脚跳堅

水熱穴云三陰之所交結於脚也

腋 羊益切 説文亦人之臂亦也从大兩亦之形徐曰今别作腋非是 釋名腋繹也言可張翕尋繹也

滑氏云肩下脇上際曰腋 張氏云膊之下脅之上曰腋

病形云鼠瘻在頸支腋之間

甲乙云（天泉在）曲腋下去臂二寸舉臂取之 銅人無去臂二字

骨度云行腋中不見者長四寸腋以下至季脇長一尺二寸

邪客云地有深谷人有腋膕

又云肝（手太陰）有邪其氣流於兩腋

經脉云從肺系横出腋下

又云手少陰却上肺下出腋下

又云手厥陰支者循胷出脇下腋三寸上抵腋下
又云足少陽直者從缺盆下腋循胷過季脇
經別之手太陽之正指地別於肩解入腋走心
又云手少陰之正別入於淵腋兩筋之間屬於心
又云手心主之正別下淵腋三寸入胷中
又云手太陰之正別入淵腋少陰之前入走肺
經筋之足太陽之筋支者從腋後外廉結於肩髃其支
者入腋下上出缺盆
又云足少陽之筋直者上乘䏚季脇上走腋前廉繫於
膺乳 又 直者上出腋貫缺盆

又云手太陽之筋入結於腋下其支者後走腋後廉　又循臂
陰入腋下腋下痛
又云手太陰之筋上臑内廉入腋下出缺盆
又云手心主之筋上臂陰結腋下下散前後挾脇其支者
入腋散胷中
又云手少陰之筋結肘内廉上入腋交太陰
營氣之循手少陰出腋下臂　又合手太陽上行乘腋出
䪼内　又循心主脉出腋下臂
生會之上焦貫膈而布胷中走腋循太陰之分
經脉之脾之大絡名曰大包出淵腋下三寸布胷脇

本俞云腋内動脉手太陰也名曰天府腋下三寸手心主也名曰天池
寒熱病云腋下動脉臂太陰也名曰天府
本藏云合腋張脇者肺下
衛氣云手太陰標在腋内動也
二十五人云手陽明之下血氣盛則腋下毛美
寒熱篇云鼠瘻之本皆在於藏其末上出於頸腋之間
邪客云手太陰之脉上行循陰入腋下内屈走肺
八風云凶風其傷人也内舍於大腸外在於兩脇腋骨下及肢節
癰疽云發於頸云云熱氣下入淵腋前傷任脉内熏肝肺
又云發於腋下赤堅者名曰米疽
氣府云足少陽脉氣所發腋下三寸脇下至胠八間一各

手太陽脉氣所發
又云曲掖上骨空各一次注謂臑俞二穴

刺禁云 刺腋下脇間内陷令人欬

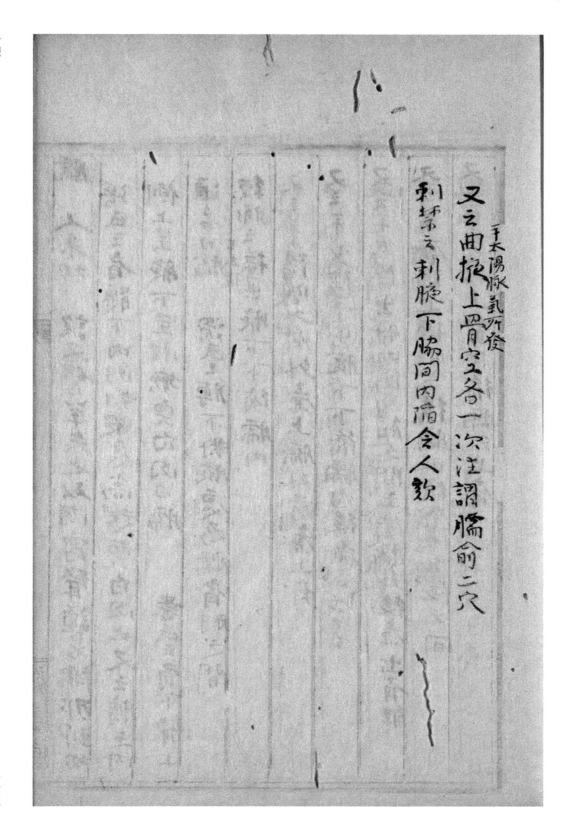

臑 人朱切 說文臂羊矢也以肉需聲讀若襦那到切

張氏云肩髆下內側對腋處高起耎白肉也 又云髆之內側上至腋下至肘嫩耎白肉曰臑 婁氏云肩下脅上通名曰臑 滑氏云髆下對腋處為臑肩肘之間

經脈之（手太陰）橫出腋下下循臑內

又云手陽明入肘外廉上臑外前廉上肩

又云手少陰下出腋下下循臑內後廉

又云手太陽出肘內側兩筋之間上循臑外後廉出肩解

又云手厥陰上抵腋下循臑內行太陰少陰之間

又云手少陽上貫肘循臑外上肩

經筋云手少陽之筋結於肘上繞臑外亷上肩
又云手陽明之筋結於肘外上臑結於髃
又云手太陰之筋結肘中上臑内亷入腋下
甲乙經臑在肘上七分䐃肉端手陽明絡之會
邪客云手太陰之脉上行臑陰入腋下

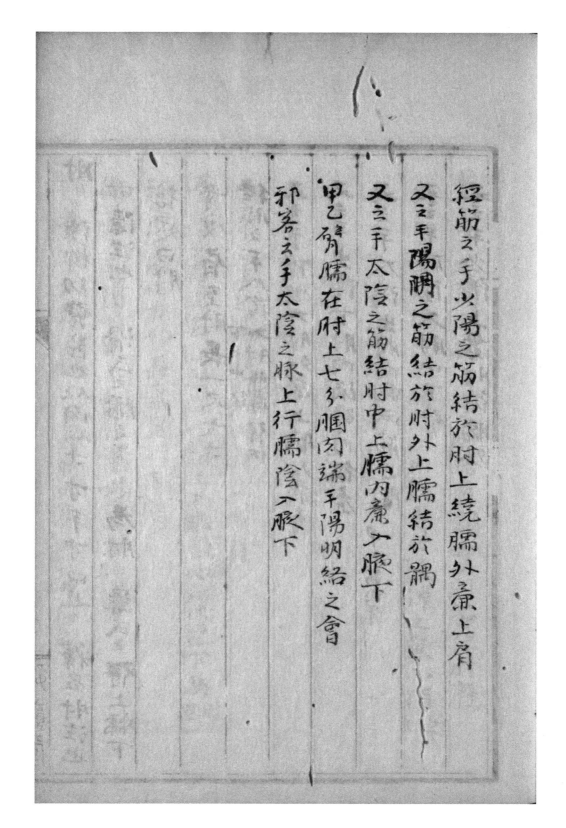

肘　陟柳切臂節也从肉从寸寸手寸口也　釋名肘注也可隱注也　滑氏之臑之盡處爲肘　寧氏之臂上臑下掊處曰肘

骨度肩至肘長一尺七寸

經脈之手太陰下肘中循臂內

又云手陽明入肘外廉上臑外前廉

又云手少陰下肘內循臂內後廉

又云手太陽出肘內側兩筋之間　甲乙筋作骨

又云手厥陰入肘中下臂

又云手少陽上貫肘循臑外

又云手太陽之別上走肘絡肩髃實則節弛肘廢
經筋云手太陽之筋結於肘內鋭骨之後彈之應小指之上
又云手少陽之筋循臂結於肘
又云手陽明之筋結於肘外上臑
又云手太陰之筋上循臂結肘中
又云手心主之筋結於肘內廉上臂陰
又云手少陰之筋上結肘內廉上入腋 又心承伏梁下為肘網
邪客云肺心有邪其氣留於兩肘
衛氣云手陽明之本在肘骨中上至別陽
邪客云手太陰之脉上至於肘內廉入於大筋之下

又云心主之脉上至肘内廉入於小筋之下留两骨之會

診尺之肘所獨熱者腰以上熱手所獨熱者腰以下熱肘前獨熱者膺前熱肘後獨熱者肩背熱臂中獨熱者腰腹熱

肘後麁以下三四寸熱者腸中有蟲

甲乙肘窌在肘大骨外廉陷者中

又曲池在肘外輔骨肘骨之中

經脈云六經絡手陽明少陽之大絡起於五指間上合肘中

臂　卑義切　說文手上也从肉辟聲　釋名臂裨也在
傍曰裨也　張氏云肘之上下皆名為臂一曰自曲池以
上為肘自曲池以下為臂
經脉云手太陰循臂内上骨下廉入寸口
又云手陽明循臂上廉
又云手少陰下肘内循臂内後廉
又云手太陽出踝中直上循臂骨下廉

又云手厥陰下臂行兩筋之間

又云手少陽循手表腕出臂外兩骨之間

又云手陽明之別上循臂乘肩髃

又云手少陽之別去腕二寸外遶臂注胷中

經筋云手太陽之筋上循臂內廉　又循臂陰入腋下

又云手少陽之筋循臂結於肘

又云手陽明之筋上循臂上結於肘外

又云手太陰之筋上循臂結肘中

又云手心主之筋結於肘內廉上臂陰結腋下

營氣云循手少陰出腋下臂注小指　又循心主脉出腋下臂

寒熱病云腋下動脉臂太陰也名曰天府 又云臂太陰可汗出
又云臂陽明有入頄徧齒者名曰大迎
病形云中於陰者常從臂胻始夫臂與胻其陰皮薄其
肉淖澤故俱受於風獨傷其陰
胃空云臂胃空在臂陽去踝四寸兩胃空之間
五變云其肉無䐃其臂懦懦然又臂薄者其髓不滿故善
病寒熱也
衛氣失常云肉之柱在臂脛諸陽分肉之間与足少陰分
間
百病始生云其著孫絡之脉而成積者其積往來上下臂

手孫絡之居也浮而緩不能句積而止之故往來移行腸胃之間

診尺之脉中獨熱者腰腹熱

氣象之脉多青脉曰脱血

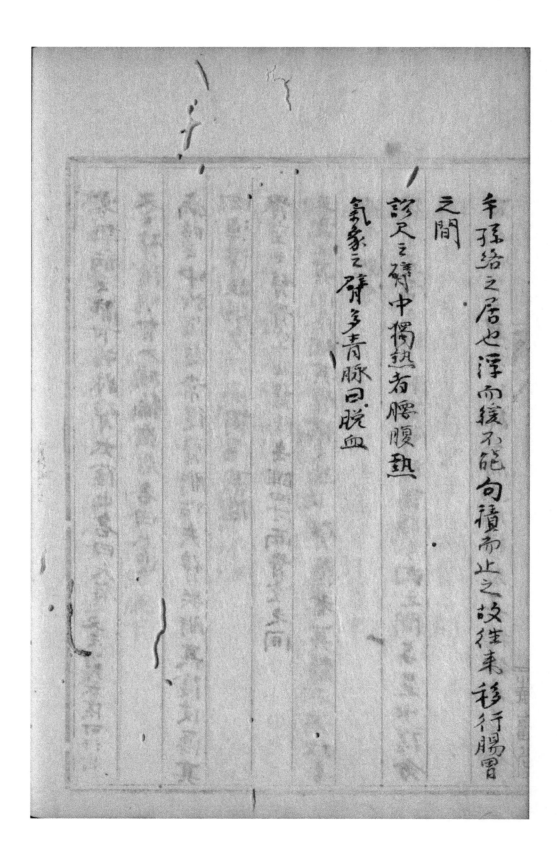

肱　古薨切　說文厷臂上也从又从古文厷或从肉
淫邪發夢之客于股肱則夢禮節拜起
九鍼之八者風也風者人之股肱八節也

腕　烏貫切　釋名腕宛也言可宛屈也　顏師古云腕
手臂之節也　張氏云腕臂掌之交　馬氏云臂骨盡處
骨度之肘至腕長一尺二寸半
經脉之手太陽循手外側上腕出踝中

又云手少陽循手表腕出臂外兩骨之間
又云手太陰之別起於腕上分間並太陰之經
又云手少陰之別去腕一寸半別而上行
又手心主之別去腕二寸出於兩筋之間
又云手太陽之別上腕五寸內注少陰
又云手陽明之別去腕三寸別入太陰
又云手少陽之別去腕二寸外遶臂
經筋云手太陽之筋起於小指之上結於腕
又云手少陽之筋結於腕中循臂
又云手陽明之筋結於腕

掌 諸兩切 釋名云掌言可以排掌也 說文手中也

从手尚聲

經脈云手少陰抵掌後銳骨之端入掌內後廉

又云手厥陰入掌中循中指

又云手太陰之別直入掌中散入於魚際其病實則手銳掌熱

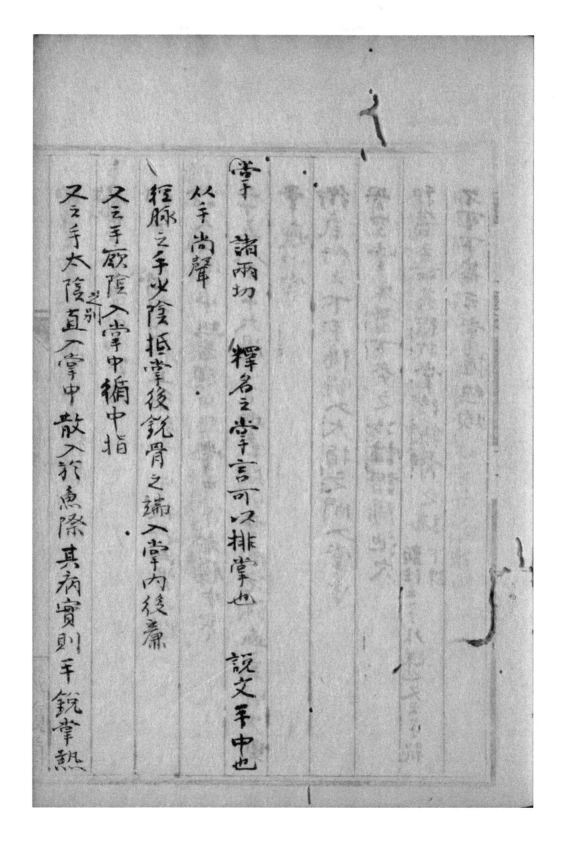

類注云掌後高骨爲手銳骨

生成云掌受血而能握

邪客云心主之脉上留於掌中伏行兩骨之間

診尺云掌中熱者腹中熱掌中寒者腹中寒

二十五人云手太陽之下血氣盛則掌肉充滿血氣皆少則掌瘦以寒

衛氣行云下手陽明入大指之間入掌中

骨空掌束骨下灸之次講謂陽池穴

邪客云取其經於掌後銳骨之端下踝 類注云手外踝也又云手腕下踝

不可下篇云掌握熱煩

甲乙陽谷在手外側腕中兌骨下陷者中

金匱溫經湯條手掌煩熱

指　職雉切　說文手指也从手旨聲

手指

生成云指得血而能攝

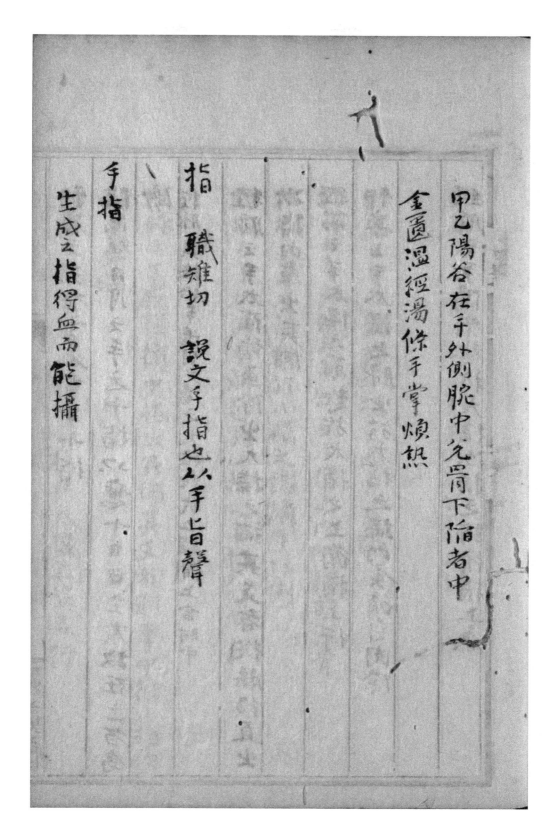

邪客云天有十日人有手十指

陰陽繫日月云手之十指以應十日日主火故在上者為陽

經脉云六絡絡手陽明少陽之大絡起於五指間上合肘中

經脉云手太陰循魚際出大指之端其支者從腕後直出次指内廉出其端

經筋云手太陰之筋起於大指之上循指上行

邪客云手太陰之脉出於大指之端内屈循白肉際

經脉云手陽明起於大指次指之端循指上廉

経筋云手陽明之筋起於大指次指之端

経脉云手少陰循小指之内出其端

経筋云手少陰之筋起於小指之内側結於鋭骨

経脉云手太陽起於小指之端循手外側

経筋云手太陽之筋起於小指之上結於腕

経脉云手厥陰循中指出其端其支者別掌中循小指次指出其端

経筋云手心主之筋起於中指與太陰之筋並行

邪客云心主之脉出於中指之端内屈循中指内廉以上

經脉云手少陽起於小指次指之端上出兩指之間

經筋云手少陽之筋起於小指次指之端結於腕中

骨度云腕至中指本節長四寸本節至其末長四寸半 張

氏云本節指之後節根也

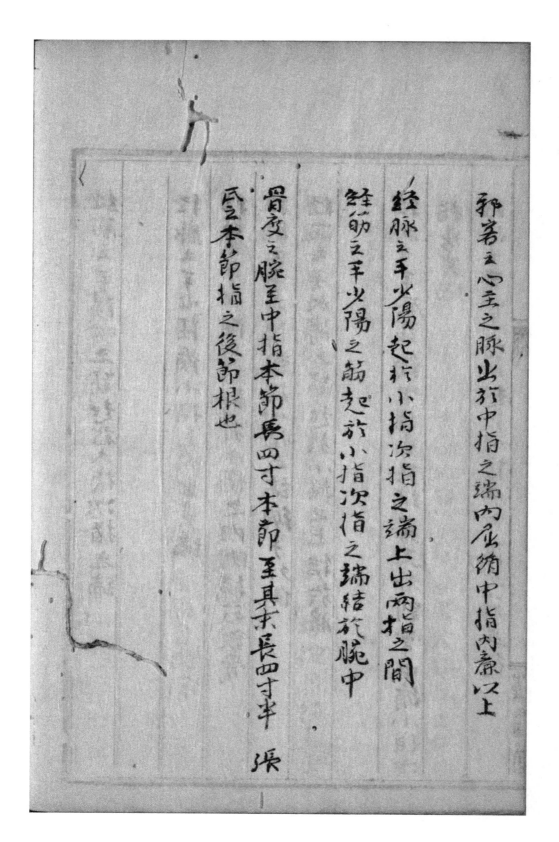

魚

馬氏云掌骨之前大指本節之後其肥肉隆起處統謂之魚　張氏云在手腕之前其肥肉隆起處形如魚者統謂之魚寸之前魚之後曰魚際穴

刺禁之刺手魚腹内陷為腫

本輸之魚際者手魚也　又太淵魚後一寸

動輸云上於魚以反衰

診尺之魚上白肉有青血脉者胃中有寒

病形之魚絡血者手陽明病

經脉之手太陰入寸口上魚循魚際

又云胃中寒手魚之絡多青矣胃中有熱魚際絡赤其暴黑者留久痺也其有赤有黑有青者寒熱氣也其青短者少氣也

又云手太陰之別直入掌中散入於魚際

經筋之手太陰之筋循指上行結於魚後行寸口外側

下邪客之手太陰之脉內屬與諸陰絡會於魚際數脉并注

二十五人之手陽明之下血氣盛則手魚肉以溫

金匱溫經湯條

壅骨 壅於隴切

邪客篇手太陰之脉伏行壅骨之下外屈出於寸口 類注云掌後高骨

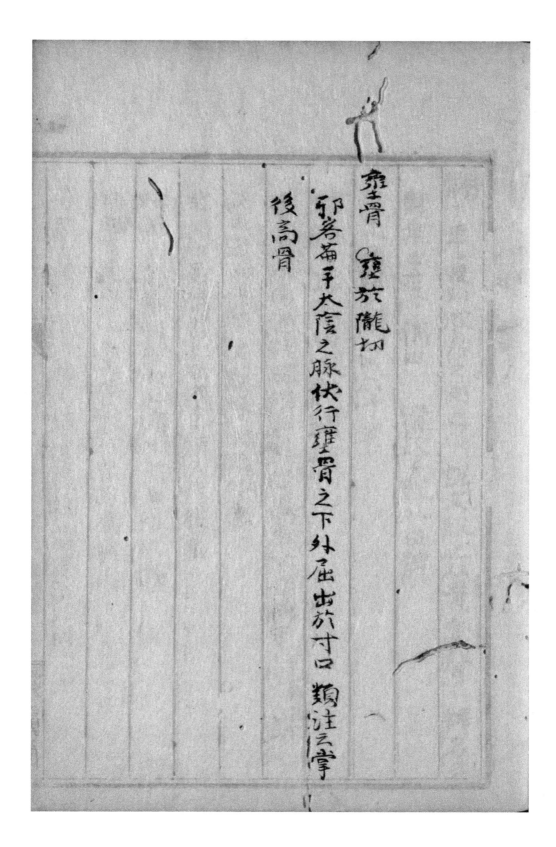

髀　卑履切股外之肉也　説文股也从骨卑聲　釋名云

髀卑也在下稱也　滑氏云股外曰髀

骨度兩髀之間廣六寸半

経脉云足陽明下髀關抵伏兎

又云足之太陽過髀樞循髀外從後廉下合膕中　甲乙無從字

又云足少陽下循髀陽出膝外廉

経别云足陽明之正上至髀入於腹裏

経筋云足陽明之筋上循伏兎上結於髀

経别云足太陰之正上至髀合於陽明

経筋云足太陰之筋上循陰股結於髀聚於陰器

繆刺王注足太陰之絡從髀合陽明上貫尻骨中

經別之足少陽之正繞髀入毛際

經筋之足少陽之筋別起外輔骨上走髀

骨度云季脇以下至髀樞長六寸

厥病論足髀不可舉側而取之在樞合中

骨空之尻骨空在髀骨之後相去四寸次注之是謂尻骨八髎穴也

魚腹　甲乙箕門在魚腹上越兩筋間

股　公戶切　說文髀也从肉殳聲　釋名股固也為強固也
張氏云股大腿也一曰髀内曰股又云大腿曰股股上曰髀楗
骨之下大股之上兩骨合縫之所曰髀樞
骨空股骨上空在股陽出上膝四寸次注在陰市上伏兔穴
下在承楗也　又云股際骨空在毛中動下　次注謂經闕
異名
津液別云補益腦髓而下流陰股
經脉云足少陰上股内後廉貫脊
又云足厥陰上膕内廉循股陰入毛中
又云足太陰上膝股内前廉入腹

經曰足太陰之筋上循陰股結於髀聚於陰器

又足少陰之筋並太陰之筋而上循陰股結於陰器

又足厥陰之筋上循陰股結於陰器

脈度云蹻脈直上循陰股入陰

寒熱病云骨寒熱者取其少陰於陰股之絡

動輸云衝脈者起於腎下出於氣街循陰股內廉邪入膕中

舉痛云厥氣客於陰股寒氣上及少腹

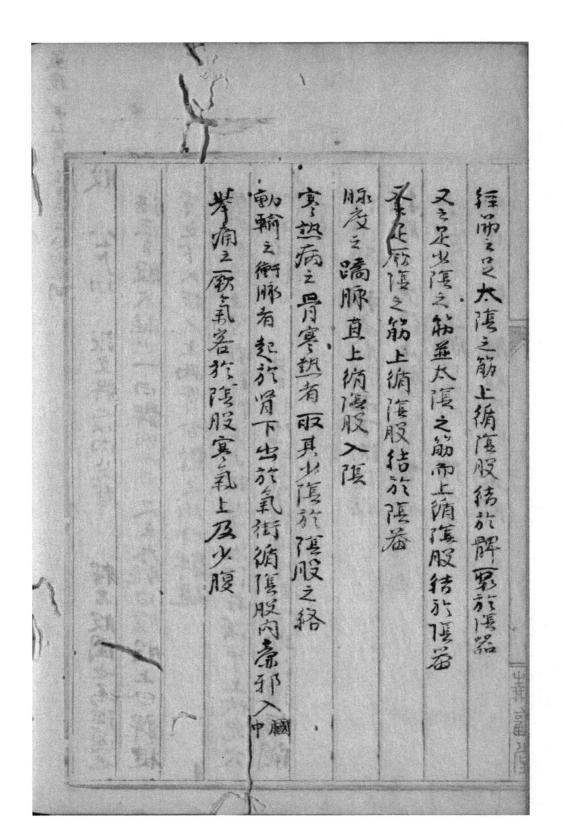

伏兎

滑氏云髀前膝上起肉處曰伏兎

經脈云足陽明下髀關抵伏兎

經筋云足陽明之筋直者上循伏兎上結於髀聚於陰器又云

伏兎轉筋

又云足少陽之筋前者結於伏兎之上後者結於尻

氣府云足陽明脈氣所發伏兎上各一次注謂髀關二穴

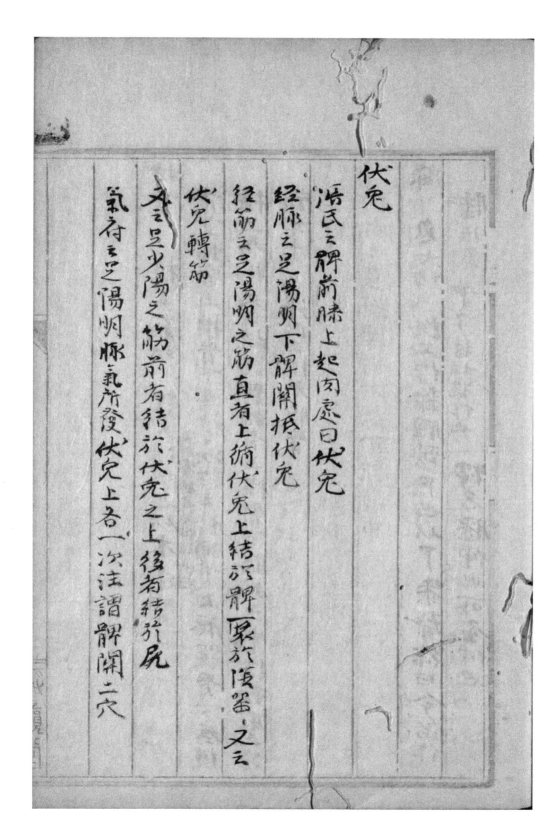

楗骨 楗其獻切 說文限門也从木建聲

骨空輔骨上横骨下爲楗。又曰蹇膝屈不伸治其楗 次注云膝輔骨上腰髖骨下爲楗

楗上爲機 又云楗謂髀輔骨上横骨下股外之中。側立搖動取之筋

動應手 張氏云楗爲股骨

膝 息七切 說文作厀脛頭卩也从卩桼聲 徐曰今俗作

膝非是 卩子結切瑞信也 釋名膝伸也可屈伸也

骨度髀樞以下至膝中長一尺九寸膝以下至外踝長一尺六寸滑氏云膝中膝外側骨縫之次

経脉云足陽明抵伏兎下膝臏中

又云足太陰交出厥陰之前上膝股内前廉

又云足少陽循髀陽出膝外廉下外輔骨之前

経筋云足太陽之筋結於踝邪上結於膝

又云足少陽之筋上循脛外廉結於膝外廉

又云足陽明之筋邪外上加於輔骨上結於膝外廉　又直者上循骭結於膝

又云足太陰之筋直者結於膝内輔骨

厥論集於膝下而聚於膝上

精微論之膝者筋之府

髕 毗忍切 說文作髕 厀耑也 从骨賓聲 滑氏云膝盖骨也 滑氏曰 俠膝解中為髕

刺禁云 刺膝髕出液為跛

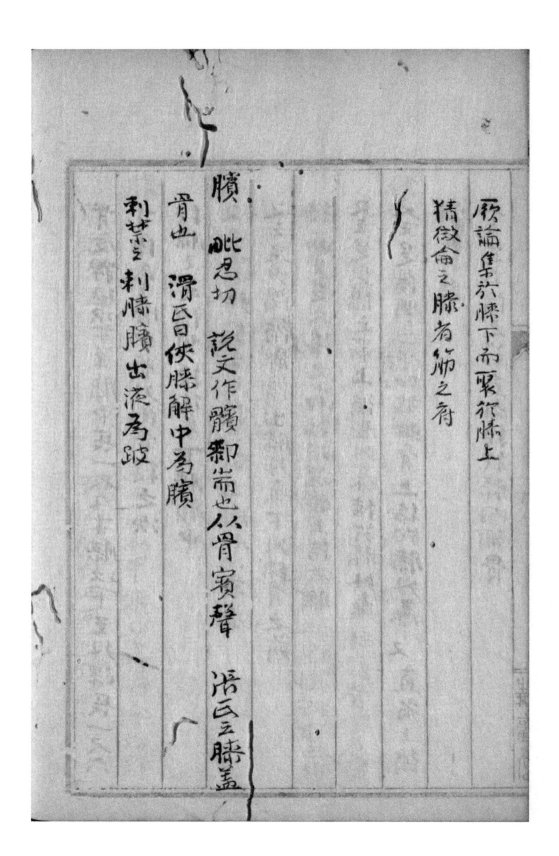

骸　古皆切　說文脛骨也从骨亥聲　馬云骸膝解也

骸厭

氣穴云寒熱俞在兩骸厭中　次注云膝外俠膝之骨厭中也

骸關

骨空膝解為骸關　次注云膝外為骸關　類注云脛骨之上

膝之節解也是為骸關

連骸

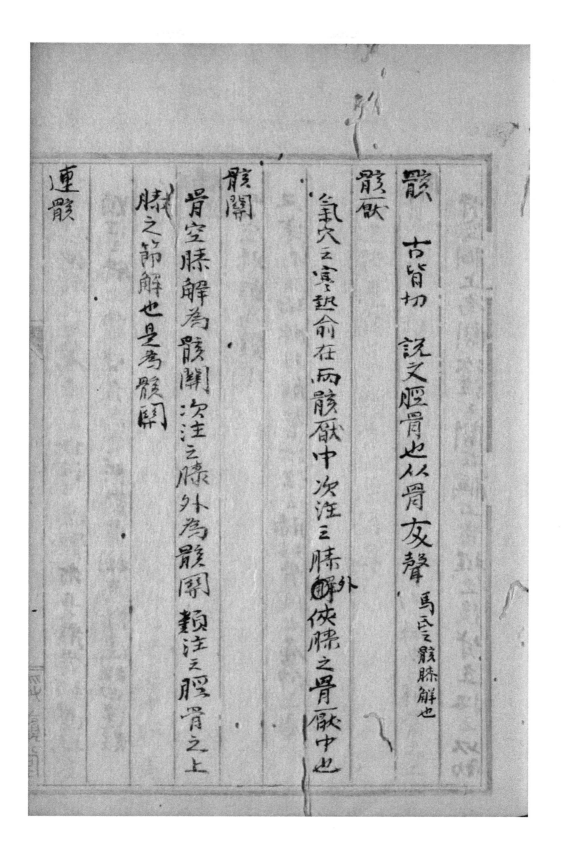

骨空俠膝之骨為連骸次注云連骸者是骸骨相連接處

類注云膝上兩側皆有高骨與骸骨相為接連故曰連骸

膝解

骨空膝解為骸關

又寒府在附膝外解營次注云膝外骨間也屈伸之處

關

骨空膕上為關次注云關在膕上當楗之後背立按之以動

筋應手

骨空次注云 楗後為關 關下為膕 膕下為輔骨 輔骨之上為連骸 連骸者是骸骨相連接處

膕 古獲切 張氏膕腿灣也

骨空 輔上為膕 次注云 膕謂膝解之後曲脚之中委中穴焉

氏云 腓腸上膝後曲處 張氏云 輔骨上向膝後曲處

本俞云 三焦下腧在於足大指之前少陽之後出於膕中外

廉名曰委陽
经脉之足太陽貫臀入膕中又循髀外後廉下合膕中
又足少陰上踹内出膕内廉
又足厥陰交出太陰之後上膕内廉
经別云足太陽之正別入於膕中
又足少陰之正至膕中別走太陽而合
经筋之足太陽之筋上循跟結於膕其別者結於踹外上
膕中内廉與膕中并
又足少陽之筋病膕筋急前引髀後引尻
骨度膝膕以下至跗屬長一尺六寸

甲乙 曲池在肘外輔骨肘骨之中 本俞
又陽輔在足外踝上四寸輔骨前絶骨端如前三分 本俞

動輸云 衝脉循陰股内廉邪入膕中 逆順肥瘦篇同
邪客云 腎有邪其氣留於兩膕中

輔 扶雨切 說文人頰車也从車甫聲
骨空云 骸下為輔 張氏云 連骸下高骨是為内外輔骨 又云
膝傍之骨突出者曰輔骨 内曰内輔 外曰外輔 滑氏云 膝
下内外側大骨 滑氏云 胻外為輔骨 張氏云 膝間内側

大骨也

骨空之所骨空在輔骨之上端次注謂犢鼻穴

經筋之足陽明之筋邪外上加於輔骨

內輔骨

經筋之足太陰之筋直者絡於膝內輔骨

又云足少陰之筋与太陽之筋合而上結於內輔之下

又云足厥陰之筋上結內輔之下

骨度之膝骨上廉以下至內輔之上廉長一尺八寸內輔之上廉以下至下廉長三寸半內輔下廉下至內踝長一尺三寸

外輔骨

經脈云足少陽出膝外廉下外輔骨之前

經筋云足少陽之筋別起外輔骨上走髀

又云足陽明之筋支者結於外輔骨合少陽

成骨

刺腰痛之少陽令人腰痛刺少陽成骨之端出血成骨在膝外廉之骨獨起者次注云成骨謂膝外近下䯒骨上端兩起骨相並間陷容指者也䯒骨所成柱膝髀骨故謂之成骨也

委中

委於詭切委曲也說文女部委委隨也从女从禾徐鍇曰委曲也取其禾穀垂穗委曲之皃故从禾

刺禁次注郄中者以經穴為名委中處所為名

刺腰痛次注膝後兩傍大筋雙上股之後兩筋之間横文之處努肉高起則郄中之分也古中誥以膕中為太陽之郄

病形云膀胱合入於委中央　又委中者屈而取之

本輸云委中膕中央為合委而取之

脛　胡定切　說文胻也从肉巠聲　釋名脛莖也直而長似物莖也　急就章脛為柱顏師古云言在髖髀之下總載衆支屋之柱也

衛氣篇脛氣有街　又氣在脛者止之於氣街與承山踝上以下

真邪云肢脛者人之管以趨翔也

經脉云足陽明下循脛外廉下足跗

又云足太陰上踹内循脛骨後

又云足陽明之別循脛骨外廉 又虛則足不收脛枯

經筋云足少陽之筋上結外踝上循脛外廉

又足陽明之筋病脛轉筋

動輸云衝脉邪入膕中循脛骨内廉 又注諸絡以溫足脛

百病始生云厥氣生足悗悗生脛寒寒則血脉凝濇

二十五人云足少陽之下血多氣少則脛毛美短外踝皮堅而厚血少氣多則胻毛少外踝皮薄而軟

衛氣失常云肉之柱在臂胻脛諸陽分肉之間

五色云中央者膝也膝以下者脛也當脛以下者足也

経脉云足厥陰之別循脛上睪

經筋云足厥陰之筋上循脛上結内輔之下

胻

户更切　説文脛耑也从肉行聲

病形云中於陰者常從臂胻始夫臂与胻其陰皮薄其肉淖澤故俱受於風獨傷其陰

針解云巨虚者蹻足胻獨陷者

骨空云䯒骨空在輔骨之上端次注謂犢鼻穴

骭 古案切 說文骹也从骨干聲

經脉云足陽明是動則病云云是爲骭厥 又伏兎骭外

廉痛

經筋云足陽明之筋直者上循骭結於膝

逆順肥瘦云衝脉伏行骭骨内

腨 市兗切

說文腓腸也从肉耑聲 急就作蹲

王真次注腨胻後耎肉處也 張云一名腓腸 下腿肚

也又云腨踹通用 正字通腿退上声股脛後肉也俗

謂股大腿腓小腿

甲乙築賓在足内踝上腨分中

甲乙承山在兑腨腸下分肉間陷者中

又承筋一名腨腸在腨腸中央陷者中

刺腰痛之腨踵魚腹之外 次注腨踵者言脈在腨外側

下當足跟也腨形勢如卧魚之腹故曰魚腹之外也此正

當蠡溝穴之分

本俞三焦下腧云上踝五寸別入貫腨腸出於委陽
經脉云足太陰上腨內循脛骨後
又云足太陽下貫腨內出外踝之後
又云足少陰別入跟中以上腨內出膕內廉
經筋云足太陽別者結於踹外上膕中內廉
刺禁刺腨腸內陷為腫
骨空云外踝上腨腸之端灸之

腓　符飛切　說文脛腨也从肉非聲

寒熱病之伏兎一腓二腓者腨也

絶骨

本輸之陽輔外踝之上輔骨之前及絶骨之端也爲經

類注之外踝上尖骨曰絶骨

經脉之足少陽直下抵絶骨之端

踝

胡瓦切　説文足踝也从足果聲　釋名踝確也居足兩傍磽确然也亦因其形踝踝然也

滑氏云手腕兩傍圓骨亦名踝骨」經脉篇手太陽過於外踝之上無所隱」甲乙養老在手踝骨上一空腕後一寸陷者中
繆刺邪客於臂掌之間不得屈刺其踝後全元起云是人手之本節踝也」

骨度內輔下廉至內踝長一尺三寸內踝至地長三寸　又膝以下至外踝長一尺六寸外踝以下至京骨長三寸　類注云足跗後兩旁圓骨內曰內踝外曰外踝又云足跟前兩傍起骨

內踝

經脉云足太陰上內踝前廉上踹內

又足少陰循內踝之後別入跟中

又足厥陰之脉上循足跗上廉去內踝一寸上踝八寸交出太
陰之後
又足少陰之別當踝後繞跟別走太陽
又足厥陰之別去內踝五寸別走少陽
經筋之足太陰之筋上結於內踝
又足少陰之筋邪走內踝之下結於踵
又足厥陰之筋上結於內踝之前上循脛
脉度之蹻脉起於然骨之後上內踝之上直上循陰股
動輸之衝脉者並少陰之經下入內踝之後別而邪入踝出屬
跗上

還順肥瘦之衝脉下至内踝之後屬而別

癰疽之發於内踝名曰走緩

九候云以左手足上去踝五寸而按之右手當踝而彈之全元起注之内踝之上陷交之穴通於膀胱係於腎腎為命門是以取之以明吉凶

外踝

經脉之足太陽貫腨内出外踝之後循京骨

又足少陽抵絶骨之端下出外踝之前

又足太陽之別去踝七寸別走少陰

又足少陽之別去踝五寸別走厥陰

又足陽明之別去踝八寸別走太陰
經筋之足太陽之筋起於足小指上結於踝　又其下循足
外踝結於踵
又足少陽之筋起於小指次指上結外踝
~~又足陽明之筋~~
經脉之足太陽是動則病云云是為踝厥
二十五人之足少陽之下血氣盛則脛毛美長外踝肥血多
氣少則脛毛美短外踝皮堅而厚血少氣多則胻毛少外
踝皮薄而軟血氣皆少則無毛外踝瘦無肉

跗　南無切或作趺

類注云足面也　又云跗属者凡兩踝前後脛掌所交之處皆為跗之屬也

刺禁　刺跗上中大脉　次注跗為足跗

骨度云膝膕以下至跗属長一尺六寸　跗属以下至地長三寸

營氣之注足少陽下行至跗上復從跗注大指間
又云注足陽明下行至跗上注大指間又云

經脉足陽明下足跗入中指内間　又支者別跗上入大指間

又足少陽出外踝之前循足跗上入小指次指之間又支
者別跗上入大指之間
又足厥陰上循足跗上廉去内踝一寸
經別之足少陽之別下絡足跗
經筋足陽明之筋起於中三指結於跗上
動輸之衝脉別為邪入踝出屬跗上入大指之間注諸絡
病形之取之三里為低跗取之
又云兩跗之上脉竪陷者足陽明病是胃脉也
逆順肥瘦之衝脉伏行出跗屬下循跗入大指間滲諸絡而
溫肌肉故別絡結則跗上不動不動則厥厥則寒矣

跟 古痕切 說文足踵也从足艮聲 釋名足後曰跟
在下旁著地一體任之象木根也
二十五人云足太陽之下血氣盛則跟肉滿踵堅 氣少血多則瘦 氣皆少則喜轉 下痛
經筋云足太陽之筋結於踵上循跟結於膕 類注云踵即
足跟之突出者跟即踵上之鞕筋處
經脈云足少陰循內踝後別入跟中
又足少陰之別遶跟別走太陽
本輸云太谿內踝之後跟骨之上陷中
經筋云足少陰之筋走內踝之下結於踵與太陽之筋合

踵 之隴切 說文踵跟也从止童聲 釋名踵鍾也鍾聚也上體之所鍾聚也 急就顏師古注作上体任之力所鍾聚也

經筋足太陽之筋結於踵

又足少陰之筋並內踝之下結於踵與太陽之筋合

京骨

骨度之外踝以下至京骨長三寸 京骨以下至地長一寸 類

注小指本節後大骨曰京骨

本輸之京骨足外側大骨之下為原

經脉之足太陽出外踝之後循京骨至小指外側

束骨

本輸云束骨本節之後陷者中

然骨

本輸云然谷然骨之下者也

核骨

經脉足太陰循指内側白肉際過核骨後上内踝前廉

本輸云太白核骨之下也

滑氏之覈骨一作核骨俗之孤拐骨是也足跟後兩傍起骨爲踝骨　馬氏之核骨即大指本節後內側圓骨也滑氏言爲孤拐骨者非也蓋孤拐即名踝骨古有擊踝之説即今北人所謂打孤拐也核骨惟一踝骨則有內外之分滑氏以足跟爲踝骨亦非蓋彼曰跟踵非踝也

蹻　其虐切説文舉足行高也从足喬聲

經脉別論云少陽藏獨至是厥氣也蹻前卒大取之下俞次注蹻謂陽蹻蹻脉在足外踝下足少陽脉行抵絶骨之端

下出外踝之前循足跗
刺腰痛之刺直陽之脉上三痏在蹻上郄下五寸横居次注之
蹻謂陽蹻所生申脉穴在外踝下也上承郄中之穴一下當
申脉之位是謂承筋穴即腨中央如外腨者中也

足指

二十五人之足陽明之下血多氣少則足指少肉
邪客之辰有十二人有足十指莖之垂以應之
厥論之陽氣起於足五指之表又陰氣起於五指之裏

大指　拇指（拇莫厚切說文將指也从手毋聲）

骨空云膝痛痛及拇指治其膕

終始之三脈動於足大指之間必審其實虛

經脈之足陽明下入中指外間其支者
經脈之足陽明別跗上入大指間出其端

又足太陰起於大指之端循指內側白肉際

又足太陽循京骨至小指外側

又足少陰起於小指之下邪趣足心

又足少陽循足跗上入小指次指之間　又別跗上入大指之間

循大指歧骨內出其端還貫爪甲出三毛

又足厥陰起於大指叢毛之際上循足跗上廉

經筋云足太陽之筋起於足小指上結於踝
又足少陽之筋起於小指次指上結外踝
又足陽明之筋起於中三指結於跗上　又足中指支
又足太陰之筋起於大指之端内側上結於内踝
又足少陰之筋起於小指之下並足太陰之筋
又足厥陰之筋起於大指之上上結於内踝之前
營氣云足陽明下行至跗上注大指間　又足太陽循脊
下尻下行注小指之端　又足少陽從跗注大指間合足厥陰
動輸云衝脉出屬跗上入大指之間注諸絡
癰疽云發於足指名脱癰

顋　蘇來切俗作腮正字通頷傍也

頦　古亥切頰頦　韻會何開切集韻頤下也

臉　力減切正字通九輦切目下頰上也　韻會塩韻又琰韻
頰也

輔　扶雨切　説文人頰骨也（車部輔）从車甫聲　又面部酺頰也从面
甫聲符遇切　釋名輔車其骨強所以輔持口也或曰牙車
牙所載也或曰頷頷含也口含物之車也或曰頰車亦所以

載物也或曰鼸車鼸鼠之食積於頰人食似之故取名也凡
繫於車皆取在下載上物也

肚　正字通土故切

鳩口　病源十四巻五板　字典小腹下曰鳩口

髀窪　正字通朏字下俗謂髀之近竅者為髀窪

碾子骨　入門環跳髀樞碾子骨後宛宛中碾一作研

脙　正字通俗字舊注音秋股脛間也

臁　正字通俗字舊注音亷脛臁

腿　正字通退上聲脛股後肉也俗謂股大腿脛小腿

胯　苦故切　説文股也从肉夸聲

胷稜骨

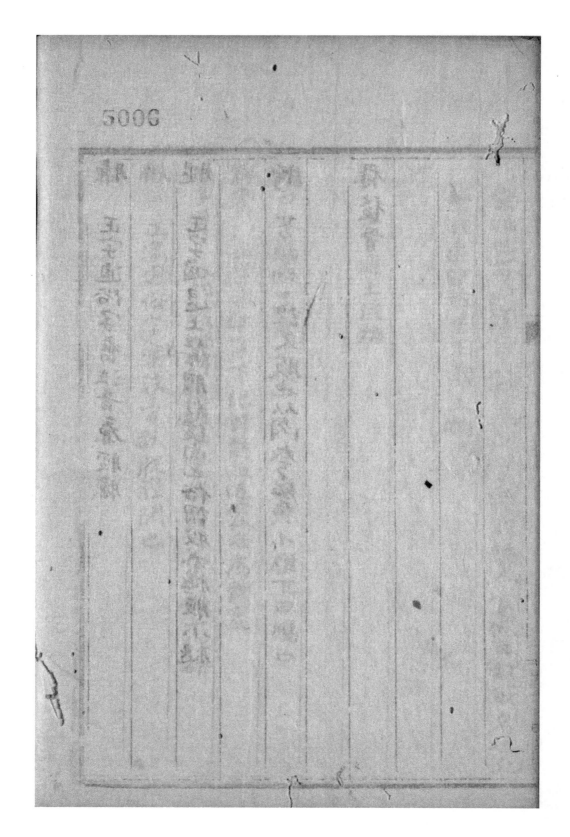

860
20

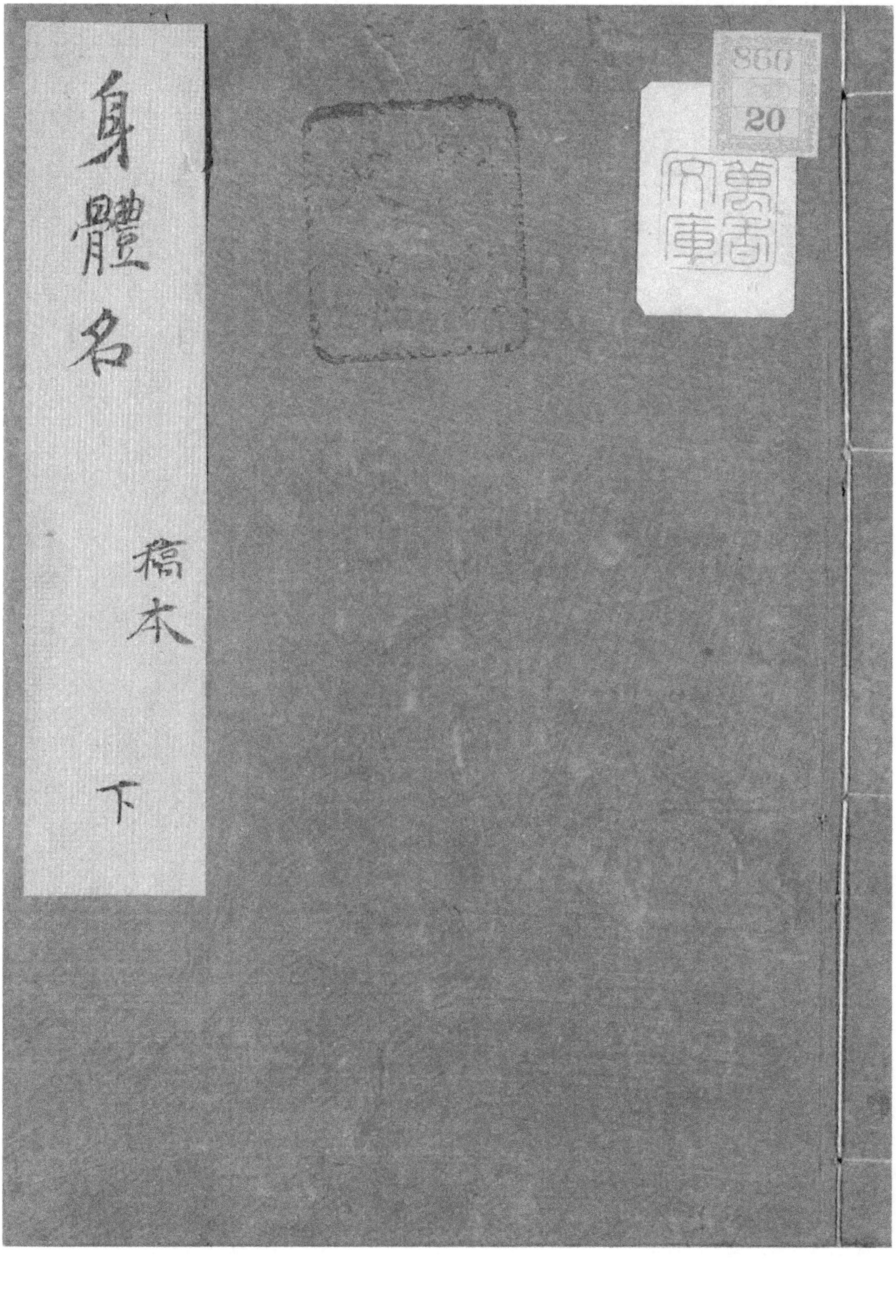
身體名
稿本
下
860
20

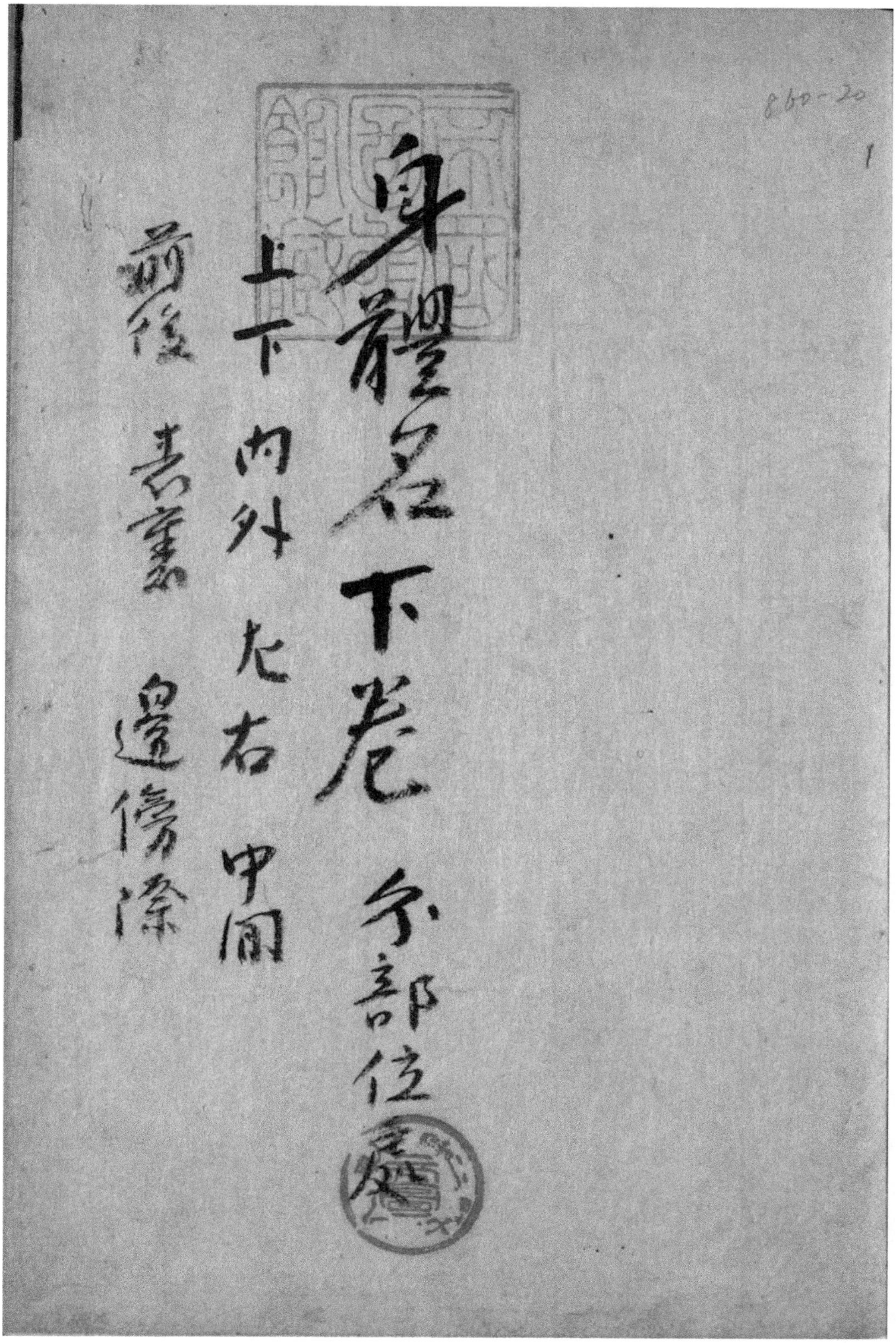
860-20
1

身體名下卷　分部位

上下　内外　左右　中間

前後　表裏　邊傍條

形分 次六ノ二
手足身分ノ次十五
他分之氣 次十四

位部分

五過云五臓六府雌雄表裏

又氣穴所發各有處名。

真言云 此皆至教備同陰陽表裏内外雌雄相輸應也故以應天之陰陽也

應象云 分部逆從各有條理 又外内之應皆有表裏

又云 察色按脉先別陰陽審清濁而知部分

又云 其血氣各守其鄉。

生成云 人有大谷十二分

精微論 尺内兩傍云云

太陰陽明為表裏脾胃脉也生病而異者何也曰陰陽異位更虚更實更逆更從或從内或從外所從不同故病異名也

刺熱篇云熱病從部所起者至期而已

背俞之五藏六府固盡有部

痺論云五藏有俞六府有合循脉之分各有所發

刺齊篇云刺淺深之分

皮部論云别其分部左右上下陰陽所在病之始終　又視其部中有浮絡者　又皮有脉之部也　又皮之十二部

十六部 謂五篇

本輸云各取諸井諸腧之分

井滎合輸 針經

面部 所附

官針之刺大經之結絡經分也

生會云老壯不同氣隂陽異位

寒熱病之天牖五部　又五藏身有五部 伏兔一腓二背三五藏之俞四項五

決氣云六氣者各有部主也其貴賤善惡可為常主

五色篇云部骨陷者必不免於病　又色部乘襲者　又五色各有藏部有外部有內部　又色從外部走內部者　又此五藏六府肢節之部也　又審明部分万舉万當能別左右是謂大道

百病始生云風雨則傷上清濕則傷下三部之氣所傷異類　又氣有定舍因處為名上下中外分為三員

十四難上部有脉
下部無脉
十八難脉有三部
部有四經

古脉之必知形氣之所在左右上下陰陽表裏
五難之初持脉如三菽之重与皮毛相得者肺部也云之
二十難之脉居陰部而反陽脉見者為陽乘陰也

上壽氣星 敎下 下安 天下 上闈下闈 上帝下帝 上椎 上綱下綱 上背下背

上行下行 升降

上下

心下 天地之和高下之宜 腸下 脚下痛 目下赤陰 腸胃之間膜原之下又示腸膜原之間絡血之中

高

天真之女子六七三陽脈衰於上 又丈夫六八陽氣衰竭於上

生氣之形氣絕而血菀於上 又上下不并良醫不為 次注并謂氣交通也

應象之清陽出上竅濁陰出下竅 又陰味出下竅陽氣出上竅

又云天地者萬物之上下也 又賢人上配天以養頭下象地以養足中傍人事以養五藏

又曰高者因而越之其下者引而竭之中滿者寫之於內

陰陽別之三陽爲病發寒熱下爲癰腫及爲痿厥腨痟

藏象之藏於心肺上使五色修明音聲能彰

生成之下虛上實過在足少陰太陽　又目冥耳聾下實上虛過

在足少陽厥陰　又支鬲胠脇下厥上冒過在足太陰陽明

又白脉之至也喘而浮上虛下實驚有積氣在胸中

五藏別之凡治病必察其下適其脉　太素作必察其上下適其脉候

經絡之上下同法　次注之上謂手脉下謂足脉　又其上下經盛

（診要）又上下不通而終　又太陰終不逆則上下不通不通則面黑

（脉要）精微之上盛則氣高下盛則氣脹　又（陰盛陽盛ノ次ニ之ニ）上盛則夢飛下盛則墮　太素夢補同

夢補遺

推而外之内之
上之下之

又云来疾去徐上实下虚為厥巔疾 来徐去疾上虚下实為
悪風也
氣象云藏真高於肺以行營衛陰陽也 又藏真下於腎
玉機云胸痛引背下則兩脇胠滿 又上見欬唾下為氣泄 又
上氣見血下聞病音
九候云上應天光星辰歷紀下副四時五行
又云有下部有中部有上部部各有三候三候者有天有地
有人也 又云九候之相應也上下若一不得相失
又云視其經絡浮沈以上下逆從循之 又上实下虚切而
從之索其結絡脉刺出其血以見通之

經脉別云游溢精氣上輸於脾脾氣散精上歸於肺通調
水道下輸膀胱　又取之下俞　又陽并於上四脉爭
張氣歸於胃
太陰陽明云入六府則身熱不時臥上爲喘呼入五藏則䐜滿
閉塞下爲飧泄久爲腸澼　又傷於風者上先受之傷於溼者下
先受之　又上下至頭足不得主時也
腹中云少腹盛上下左右皆有根　又居臍上爲逆居臍下
爲從　又陽氣重上有餘於上
刺腰痛云痛上寒　又上熱　又中熱而喘　又脚痺
痺論云肝痺數小便上爲引如懷　又發欬嘔汁上爲大塞

上下内外ノ詎
形ノ肢ヲ

又云胞痺者沃於小便上爲清涕
痿論云心氣熱則下脉厥而上上則下脉虚　又胞絡絶則陽氣
内動発則心下崩數溲血也
厥論云陽氣衰於下則爲寒厥陰氣衰於下則爲熱厥
又下氣上爭不能復精氣溢下邪氣因從之而上也氣因
於中　又陰氣盛於上則下虚下虚則腹脹滿陽氣盛於
上則下氣重上而邪氣逆逆則陽氣乱
脉解篇云陽盡在上而陰氣從下下虚上実故狂巓疾　又陽
氣大上而争故強上也　又氣去陽而之陰氣盛而陽之下長
故謂躍　又陽明并於上上者則其孫絡太陰也故頭痛鼻鼽

皮部上下同法

上紀下紀

腹腫也　又上走心為噫　又陰氣在下陽氣在上諸陽氣浮

無所依從故嘔欬上氣喘　又陽氣盛於上而脉滿滿則欬故血

見於鼻　又（太陰）十一月陰氣下衰而陽氣且出故曰得後与氣則快然如

衰

刺志之穀入多而氣少者得之有所脫血濕居下也

水熱穴之上下溢於皮膚　又水病下為胕腫大腹上為喘

呼　~~[illegible]~~

調經之血并於上氣并於下心煩惋善怒　血并於下氣并於上

亂而善忘　又血之与氣并走於上則為大厥　又善怒不節

則陰氣上逆上逆則下虛下虛則陽氣走之故曰實矣

著至教之上知天文下知地理中知人事　又三陽天為業上下
無常合而病至　又上為巔疾下為漏病　又并於陰則上下無
常薄為腸澼
從容之化之冥冥循上及下何必守經
陰陽類之至手太陰上連人迎　又伏鼓不浮上空志心
又上下無常出入不知　又上合昭昭下合冥冥
方盛衰之診必上下度民君卿　又度事上下脉事因格
又必清必淨上觀下觀
解精微之夫人厥則陽氣并於上陰氣并於下陽并於上則火
獨光也陰并於下則足寒足寒則脹也

大腸屬上小腸屬下
下陵
三里下腧
大腸上合于太陽

十二原云夫氣之在脉也邪氣在上濁氣在中清氣在下

又云疾高而内者取之陰之陵泉疾高而外者取之陽之陵泉

本輸云淺深之狀高下所至　又六府皆出足之三陽上合於手

者也　又夏取諸腧孫絡肌肉皮膚之上

小針解云鍼陷脉則邪氣出者取之上

病形云邪氣之中人高也　又身半以上者邪中之也身半已下者濕

中之也　又陰之与陽也異名同類上下相會経絡之相貫如環

無端　又上下左右無有恒常　又上下出血　又下不勝其上其

應善瘦矣　又胃脘當心而痛上支兩脇

剛柔之血上下行

説明右上俗謂在々中左俗右下

官針云遠道刺者病在上取之下刺府腧也

終始云上下相應而俱往来也　又肩膊虛者取之上　又從腰以上者手太陰陽明皆主之從腰以下者足太陰陽明皆主之病在上者下取之病在下者高取之　又病在上者陽也病在下者陰也

経脉云十五絡者実則必見虛則必下視之不見求之上下

五十営云人経脉上下左右前後二十八脉

周痹云痛從上下又痛從下上

口問云陽者主上陰者主下

師傳云上下三等藏安且良矣

宗氣中乳　下氣乳　胸以上以下皮　師傳

時高則起時下則治

藏之高下正偏

上管下管

下極乏色

海論之胃者水穀之海其輸上在氣街下至三里之之

脹論云厥氣在下　又上越中肉則衛气相乱

繫日月云在下者為陰　又在上者為陽　又腰以上為天腰以下為地　又腰以上者為陽腰以下者為陰

五変云痺之高下有處乎曰欲知其高下者各視其部

本藏云心高則滿於肺中　又肝下則逼胃脇下空　又脾下則下加於大腸　又五藏皆高者好高舉措五藏皆下者好出人下　又胃下者下管約不利

衛氣云候虛實之所在者能得病之高下

又云下虛則厥下盛則熱上虛則眩上盛則熱痛

目赤所從上下之云

天年云人生十歲五藏始定血氣已通其氣在下故好走

失常云上下皆滿者傍取之

五味云上之兩焦不能出入

官能云上下氣門　又腸有上下知其氣所在　又大熱在上

推而下之從下上者引而去之　又上氣不足推而揚之下氣

不足積而從之　又上視天光下司八正

診人之（診謂當前云云）在左左熱在右右熱在上上熱在下下熱

刺節云下有漸洳上生葦蒲　又宗氣留於海其下者

注於氣街其上者走於息道　又上寒下熱　又上熱下寒

又一經上實下虛而不通者此必有橫絡盛加於大經令之

不通
大惑云上氣不足之下氣有餘腸胃實而心肺虛虛則營衛留
於下
癰疽云中焦出氣如露上注谿谷而滲孫脉 又血脉營
衛周流不休上應星宿下應經數

出入　腹内　腸外　腸内　腸中　肥中

内外　中外

天真云精神内守　又外不勞形於事内無思想之患

謌神云昔所愛在外　又無外其志使肺氣清

調神云肝氣内變　又心氣内洞　又是謂内格　次注云内性格拒於天道也

生氣云内閉九竅外壅肌肉衛氣散解　又陽固而上衛外者也　又陽氣一日而主外　又陽者衛外而爲固也　又内外調和邪不能害

金匱云言人之陰陽則外爲陽内爲陰

應象云陰在内陽之守也陽在外陰之使也

陰陽別云陰爭於內陽擾於外魄汗未藏四逆而起

方宜云西方者邪不能傷其形體其病生於內

變氣云毒藥治其內鍼石治其外　又內無眷慕之累外無

伸宦之形　又憂患緣其內苦形傷其外　又內至五藏骨髓外

傷空竅肌膚　又微針治其外湯液治其內

醪醴云必齊毒藥攻其中鑱石針艾治其外　又孤精於內氣

耗於外　又氣拒於內而形施於外

精微云知病乍在內奈何知病乍在外奈何

又云知內者按而紀之知外者終而始之

又云溢入肌皮腸胃之外

脉外脉中 參看俞

九候之目内眥者 [illegible]

氣象云寸口脉沈而堅者曰病在中寸口脉浮而盛者曰病在外 又脉盛滑堅者曰病在外脉小実而堅者曰病在内

玉機云 此謂大過病在外 又此謂不及病在中 五臓

又骨髓内消 又内痛引肩項 又脉行中外急

又云病在中脉實堅病在外脉不実堅者皆難治

全形云外内相得無以形先 八正云外虛内乱淫邪乃起

又云形氣榮衛之不形於外而工獨知之

真邪云外引其門

通評云隔塞閉絶上下不通則暴憂之病 又暴厥而聾偏塞閉不通内氣暴薄也

脊

太陰陽明之陽者天氣也主外陰者地氣也主内
瘡俞之陽盛則外熱陰虛則内熱外内皆熱則喘而渴　又藏於
皮膚之内腸胃之外此營氣之所舍也　又此氣得陽而外出
得陰而内薄内外相薄是以日作　又氣之舍深内薄於陰陽
氣獨發陰邪内著　又邪氣内薄於陰　又瘧氣隨經絡沈以
内薄　又陽虛而陰盛外無氣故先寒慄也　又陽與陰復并
於外陰虛而陽實故先熱而渴　又病藏於腎其氣先從内出
之於外也　又氣内藏於心而外舍於分肉之間令人消爍脱肉
欬論之外内合邪因而客則為肺欬
舉痛之喘息汗出外内皆越

内風

内熱中満

順中云二者相過恐内傷脾
風論云風氣藏於皮膚之間内不得通外不得泄　又其人肥則
風氣不得外泄則為熱中而目黄人瘦則外泄而寒々則為寒
中而泣出　又久風入中則為腸風飱泄外在腠理則為泄風
痺論云骨痺不已復感於邪内舍於腎云々　又肝痺數小便
痿論云所願不得意淫於外　又渇則陽氣内伐内伐則熱舍於
腎
脉解云内奪而厥則為瘖俳　又秋氣内奪故變於色　又陰
陽内奪故目䀮々無所見
刺要云過之則内傷不及則生外壅々則邪從之淺深不得

刺禁
制果内論
内論
内結七症

反為大賊内動五藏後生大病　肉傷則内動脾之義
鍼解云深浅在志者知病之内外也
皮部云絡盛則入客於經陽主外陰主内　又在陽者主内在
陰者主出以滲於内諸經皆然　又其入經也從陽部注於經
其出者從陰内注於骨
氣穴云衛散榮溢氣竭血著外為發熱内為少氣　又榮衛不行
必將為膿内銷骨髓外破大膕　又内為骨痺外為不仁命曰
不足大寒留於谿谷也
骨空云風從外入
水熱穴云内不得入於藏外不得越於皮膚客於玄府行於皮

裏　又熱熏分腠內至於經
調經之志意通內連骨髓　又陽注於陰陰滿之外
又陽虛則外寒陰虛則內熱陽盛則外熱陰盛則內寒　云云
又寒氣在外則上焦不通上焦不通則寒氣獨留於外
刺逆從之經絡皆盛內溢肌中　又冬者蓋藏血氣在中內著
骨髓通於五藏　又春刺絡脈血氣外溢　又春刺筋骨血氣內
著　又夏刺肌肉血氣內卻　又秋刺絡脈氣不外行　又秋刺筋
骨血氣內散　又冬刺絡脈內氣外泄留為大痹　又血氣內亂
與精相薄
黃帝教之外無期內無正

從容之沈而石者是腎氣內著也　又脾氣之外絶去胃外帰
陽明也
五過之嘗貴後賤雖不中邪病從內生名曰脫營　又外耗於
衛內奪於榮　又外爲柔弱　又治病之道氣內爲寶　揚上善之
天地間之氣爲外氣人身中之氣爲內氣
四失之志意不理外內相失
陰陽之二傷至肺其之氣帰膀胱外連脾胃　又內亂五藏
外爲驚駭　又勝肺傷脾外傷四支
解精微之風之中目也陽氣內守於精

内温

小針解篇曰氣内絶不至外絶不至 十二難

内膜 内癔

十二難云外門已閉中氣乃実
又云五藏之氣已絶於内而用針者反実其外云云 取腋与膺 又云
五藏之氣已絶於外而用鍼者反実其内 反取四末
小針解云 反取其外之病處 又陽氣至則内重竭
病形云兩寒相感中外皆傷 又悪血留内 五邪篇悪血在内 又陽脉之別入於
内属於府者 又榮輸治外経合治内府 又取諸外経有揄申
而從之
根結云肝肺内膜 又合形与氣使神内藏
剛柔云謹度病端与時相應内合於五藏六府外合於筋骨
皮膚是故内有陰陽外亦有陰陽在内者五藏為陰六府為陽

起止内中

在外者筋骨為陰皮膚為陽　又形氣病之先後外内之應
官針之内陽良肉皮膚為扈
終始之溢陽為外格　又溢陰為内關　又男内女外堅拒勿出
謹守勿内
經脉之内次五藏外別六府（玉版而云内別五藏外次六府）　又　其會皆見於外
經別之人之合於天道也内有五藏以應五音五色五時五味五位
也外有六府以應六律六律（律）建陰陽諸經而合之十二月十二辰
十二節十二經水十二時
經水云經脉十二者外合於十二經水而内屬於五藏六府　又八尺
之士皮肉在此外可度量切循而得之　又凡此（五藏六府）十二經水者外有

外背內背癲狂
又善笑而不發於外者
內閉不得溲

滎泉而內有所稟此皆內外相貫如環無端人經亦然

营氣云穀入於胃乃傳之肺流溢於中布散於外

脉度云五藏常內閱於上七竅也　又其流溢之氣內溉藏府

外濡腠理

生會云营在脉中衛在脉外　又故太陰主內太陽主外　又营氣

衰少而衛氣內伐　又外傷於風內開腠理

寒熱病云暴痺內逆

周痺云此內不在藏而外未發於皮獨居分肉之間真氣不能

周

師傳云肝者主為將使之候外　又腎者主為外使之遠聽 津液乃云腎為之主外

邪气内闔逆 引革否外之垂 角去外

揣内

海論云十二經脉者内屬於府藏外絡於肢節

脹論云夫脹者皆在於藏府之外（云排藏府而郭胷脇脹皮膚）又藏府之在胷脇腹

裏之内也 又（分住行）各有次舍異名而同處一域之中其氣各異 又

不中氣穴則氣内閉

血絡云此為内溢於經外注於絡如是者陰陽俱有餘

清濁云脉之濁氣下注於陰内積於海

發夢云正邪從外襲内而未有定舍反淫于藏不得定處

與營衛俱行 又氣淫於府則有餘于外不足於内氣淫于

藏則有餘於内不足於外

外揣云若是則内外相襲若鼓之應桴 又遠者司外揣内近

又云外内皆在焉

又云外以張
血氣内亂
二十五人云從外
知内 論疾診
又同

若司内揣外

本藏云視其外應以知其内藏則知所病矣

禁服云寸口主中人迎主外

五色云病日進在外又病益甚在中 又沈濁爲内浮澤爲外。

衛氣云其氣内干五藏而外絡肢節

禁服五味云其氣外通於肉。

百病始生云此邪氣之從外入内從上下也 又陽絡傷則血外溢血外溢則衄血陰絡傷則血内溢血内溢則後血 又卒然衄外中於寒若内傷於憂怒則氣上逆 又此内外三部之所生病

前下屬 管門

者也

行針之陽氣浮者內藏 陰氣沈者

上膈之令熱入中，因使熱內 又 佐以參禁以除其內

寒熱蒸之，其浮於脈中而策內著於肌肉而外為膿血者易

去也

邪客之其外經病而藏不病

通天之經小而絡大，血在中而氣外

宮能之大寒在外，留而補之，入於中者從合寫之 穴 又 寒入於

中推而行之

刺節之刺外經去陽病 又 津液內溢，乃下留於睪 又 陰

衛外

氣不足則內熱陽氣有餘則外熱　又人氣在外又人氣在

中　又其入深內搏於骨　又虛邪偏容於身半其入深內

居舉衛

九宮八風

大弱風　內舍於心　外在於脈　　謀風　脾　肌　　剛風　肺　皮膚

折風　小腸　手太陽脈　　大剛風　腎　骨与肩背之膂筋　　凶風　大腸　兩脇腋骨下　肢節

嬰兒風　肝　筋紐　　弱風　胃　肌肉

左右十一
九針論音候
八正所在之処
左右上下

右手　立秋　戊申己未　　右脇　秋分　辛酉　　右足　立冬　戊戌己亥

膺喉頭首　夏至　丙午　　六府膈下　三藏應中州　　腰尻下竅　冬至　壬子

左手　立夏　戊辰己巳　　左脇　春分　乙卯　　左足　立春　戊寅己丑

疽癰之熱氣淳盛下陷肌膚筋髓枯内連五藏

表裏

病合之氣裏形表而為相成也

經脈別云表裏當俱寫

形志云足太陽与少陰為表裏少陽与厥陰為表裏陽明与太陰為表裏是為足陰陽也手太陽与少陰為表裏少陽与心主為表裏陽明与太陰為表裏是為手之陰陽也

太陰陽明論云陽明者表也五藏六府之海也

評熱病云巨陽主氣故先受邪少陰与其為表裏也得熱則

鬲肓之上中有父母

上從之從之則厥也　又表裏刺之

上下 瘧俞之陰陽上下交爭

上下 氣穴之兩腸不便上為口糜

厥俞之陽氣起於五指之表　又陰氣起於五指之裏

刺禁之心部於表腎治於裏

陰陽類論之三陽為表二陰為裏

十二原之異其皁別其表裏

剛柔之陰陽俱動作有形作無形加以煩心命曰陰勝其陽此謂不表不裏其形不久　又形氣外内之相應　又外内難易之

應

五閱之經氣入藏必當治裏

血絡之陰陽俱脫表裏相離

癲狂之取手太陰表裏

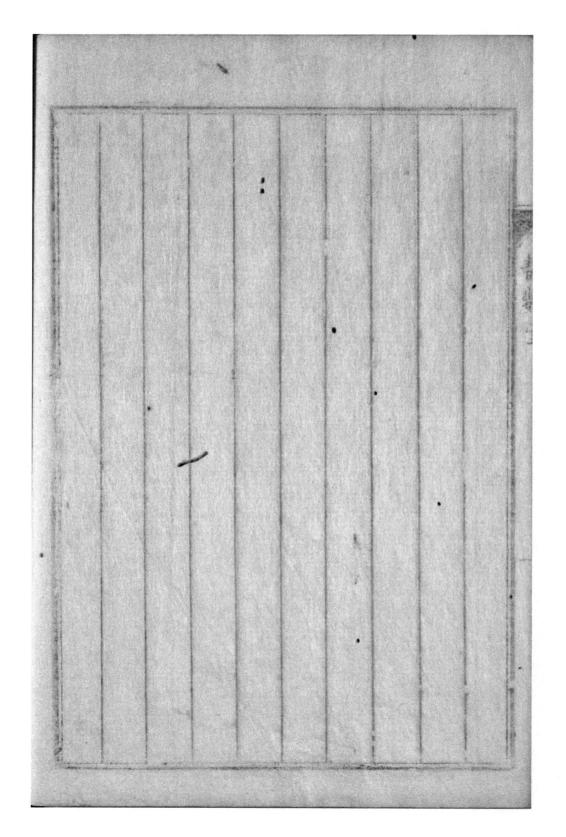

中央 胷中 鬲中 腹中 心中 脊中 脇中 熱中 寒中 消中 脊間
脉中 舍於
四脉之中
少腹中
皮膚之中分
肉之間 痺篇
浮鼓肌中 脉
巨陽中 絡
五中
耳間
空中之揆
堅其中度
鼻柱中央起

中
間
半
生氣通 天地之間六合之内
離合之 外者為陽内者為陰然則中為陰其衝在下名曰太
陰
生成之 有積氣在中時害於食
脉解之 四極急而動中 刺禁之 中鬲者皆為傷中
經終之 厥陰終中熱嗌乾 精微之 五藏者中之守也
真邪之 調之中府

逆調云中非有寒氣也寒從中生者何

擧痛云上焦不通營衛不散熱氣在中

厥論云氣聚於脾中不得散酒氣與穀氣相薄熱盛於中

故熱徧於身

奇病云肝者中之將也

脈解云（陽明）入中為瘖　又三月陽中之陰邪在中故曰癩疝少腹腫　又

水者陰氣也陰氣在中故胸痛少氣也

調經云其脈盛大以濇故中寒

十二原云針中脈則濁氣出

本神云因悲哀動中者竭絶而失生　又動中則傷魂

終始云如是者不開則血脉閉塞氣無所行流淫於中五藏内

傷

營衛生会云或出於身半

厥病云頭半寒痛先取手少陽陽明後取足

血絡云身中有水

禁服云脉血結於中中有著血

刺節云茎垂者身中之機

十四難云損其肝者緩其中

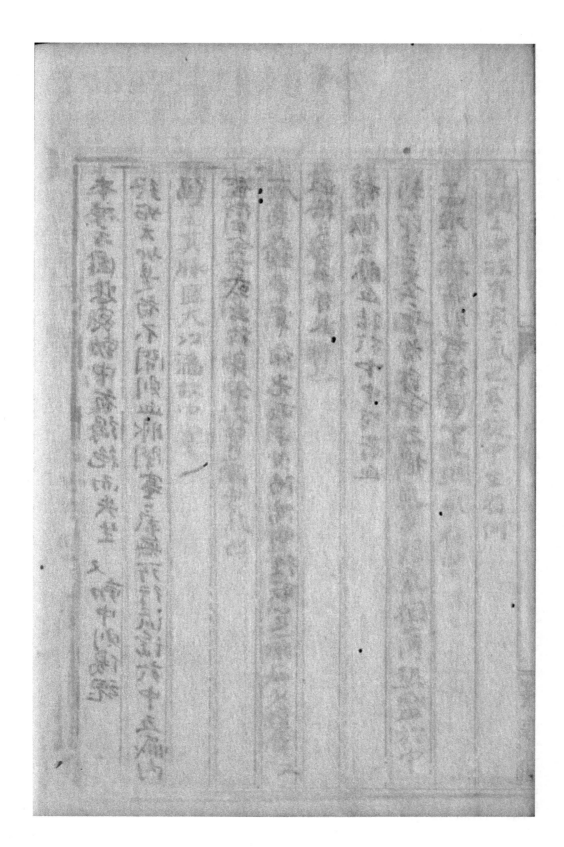

前以候前後以候後

前後

離合云聖人南面而立前曰廣明後曰太衝太衝之地名曰少陰云云 前後上下表

玉機云前後不通 又泄利前後 又得後利則実者活

厥論云前閉譫言 又不得前後

繆刺云惡血留内腹中滿脹不得前後

病形云足不收不得前後

官鍼云一刺前一刺後

經脉云足陽明氣盛則身以前皆熱氣不足則身以前皆寒慄

瘧瘡之熱氣下入淵腋前傷任脉内熏肝肺

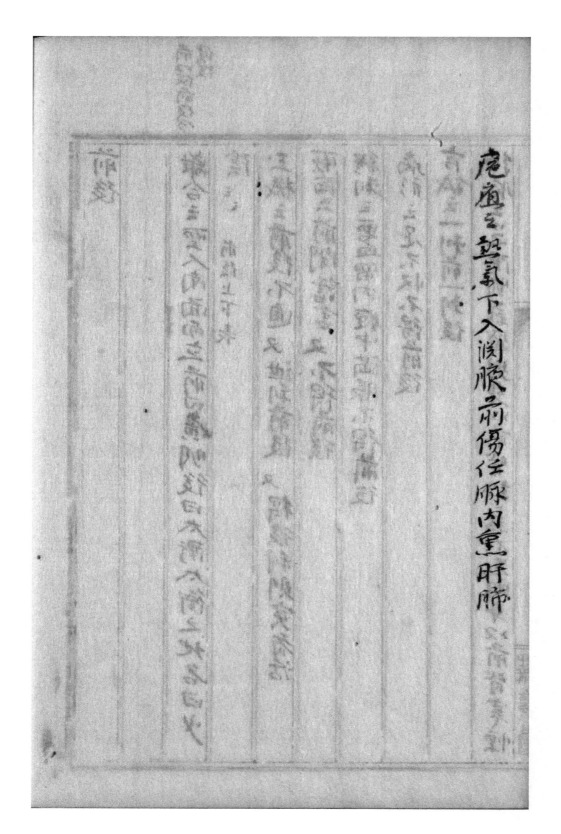

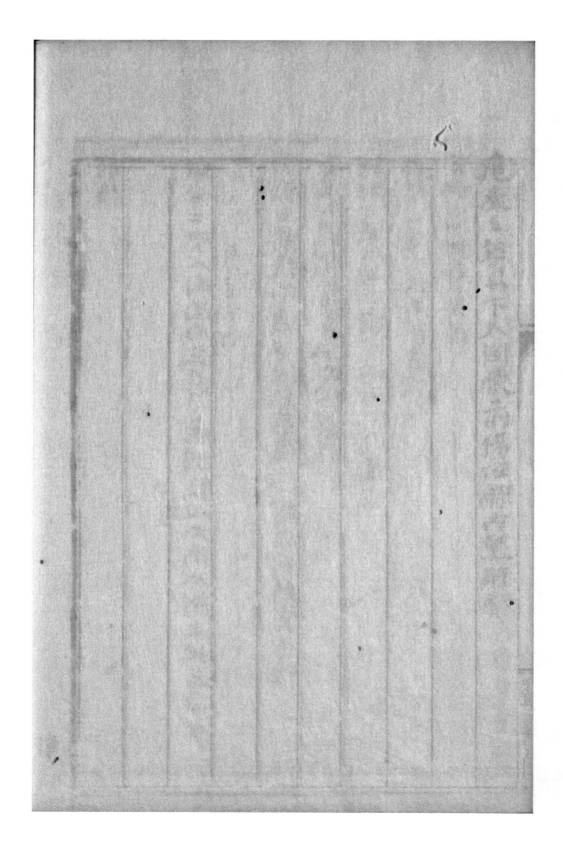

左右

應象云左右者陰陽之道路也

又云天不足西北故西北方陰也而人右耳目不如左明也地不滿東南故東南方陽也而人左手足不如右強也曰何以然曰東方陽也陽者其精并於上并於上則上明而下虛故使耳目聰明而手足之不便也西方陰也陰者其精并於下并於下則下盛而上虛故其耳目不聰明而手足便也故俱感於邪其在上則右甚在下則左甚此天地陰陽所不能全也故邪居之

又以右治左以左治右以我知彼以表知裏以觀過與不及之理

出於左氣下

右脉沈而緊左脉
浮而遲
左右係至脉

論要云容色見上下左右者在其要又上為逆下為從女子右
為逆左為從男子左為逆右為從
九候之上下左右之脉相應如參舂者病甚上下左右相失
不可數者死
經脈別【離合真邪論】之經言氣之盛衰左右傾移以上調下以左調右有
餘不足補寫於榮輸又察其左右上下相失及相減者
欬論云【脾欬之狀】欬則右脇下痛
刺禁云肝生於左肺藏於右
氣穴云背胸邪繫陰陽左右如此
調經云痛在於左而右脉病者巨刺之

繆刺之

針全左爲右

繆刺云夫邪客於大絡者左注右右注左上下左右与經相干而布於四末其氣無常處不入於經俞命曰繆刺 又邪客於經左盛則右病右盛則左病亦有移易者左痛未已而右脉先病如此者必巨刺之必中其經非絡脉也

又五絡皆會於耳上絡左角 左角之髮方寸

方盛衰云陽從左陰從右老從上少從下 又知左不知右知右不知左知上不知下

十二節之云指直刺無鍼左右

官針云豹文刺者左右前後鍼之中脉爲故 又各（直刺）左右盡節上

終始云必先調其左右去其血脉

病在之左淫者攻其右 右淫者攻其左 又曲泉左右動脉

周痺之以右應左以左應右（衆痺） 又周痺者在於血脉之中隨脉

以上隨脉以下不能左右各當其所

腸回月之 小腸後附脊左環 又回腸當脐左環（右娘之） 又廣腸傳脊

以上回腸 左環葉以脊上下

濡（以上見之）之 府藏之在中也各次舍左右上下各如其度也

繫日月之

寅 正月之生陽 少陽　　申 七月之生陰 少陰

卯 二月 大足 太陽　　酉 八月 右足 太陰

辰 三月 陽明　　戌 九月 厥陰（此兩陰交盡）

巳 四月 陽明（此兩陽合於前）　　亥 十月 厥陰

午 五月 右足 太陽　　子 十一月 左足 太陰

未 六月 少陽　　丑 十二月 少陰

甲 少陽 庚 少陰
乙 左手 太陽 辛 右手 太陰
丙 陽明 厥陰
丁 陽明 厥陰
戊 右手 太陽 壬 左手 太陰
己 少陽 癸 少陰

又云正月二月三月人氣在左無剌左足之陽云云
禁服之左握其手右授之書
五色之能別左右是謂大道男女異位故曰陰陽 又方圓左
右合如其邑形 又左為左右為右
失常之筋部無陰無陽無左無右候病所在
二十五人之必先明知二十五人則血氣之所在上下左右剌約畢也

五音五音各二十五

少角 右角 判徵 左徵 太徵 右商 桎羽 衆羽

此 於

右徵 太商

上角 足厥陰

一 釱角 甲乙注大角 左足少陽之上

四 判角 左足少陽之下

三 鈦角 甲注一曰右角 右足少陽之上

二 左角 右足少陽之下 甲乙右角二作ル注ニ一曰少角

上徵 手少陰

一 質徵 大甲乙 左手太陽之上

四 質判 判徵甲乙 左丨之下

三 右徵 右手丨之上

二 少徵 右丨之下

上宮 足太陰

一 大宮 左足陽明之上

四 左宮 左丨之下

三 少宮 右丨之上

二 加宮 右甲 右丨之下

上商 手太陰

一 鈦商 大甲 左手陽明之上

二 左商 右甲 左手陽明之下

三 大商 右手陽明之上

四 少商 右手陽明之下

上羽 足少陰

四 極羽爲人 左足太陽之上

二 少羽 左足太陽之下

一 太羽 右足太陽之上

三 衆之爲人 羽 右足太陽之下

官絡之左右支絡盡知其會　又左右不調把而行之　又察其所痛左右上下

水〻熱穴之五九此五十九穴者皆熱之左右也

欬喘次注之脾氣之右故右脇下偏〻然深慢痛也

兩傍ヽヽ座
七節之傍中有小心
膸偏腫
偏枯

傍

玉機云孤藏以灌四傍

從容云經脉傍絶五藏漏泄

官針云傍鍼之　又傍鍼刺　又正内一傍内四而浮之

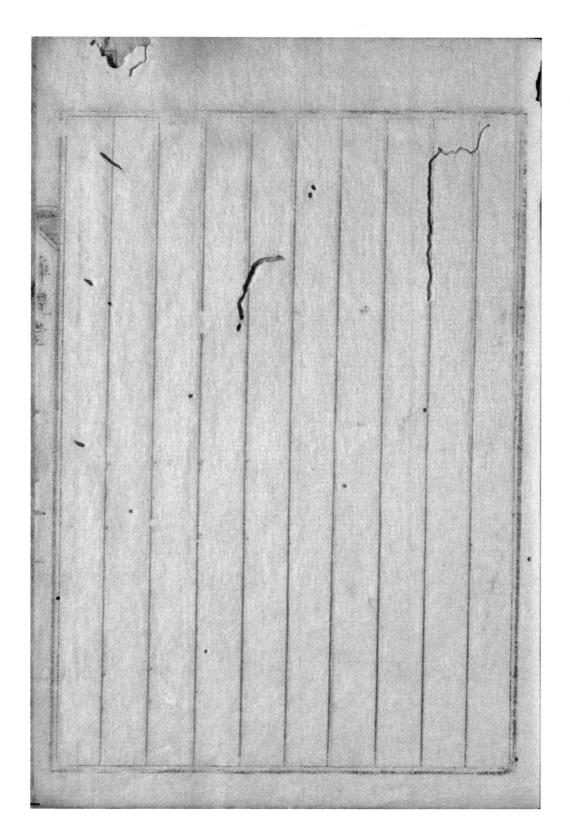

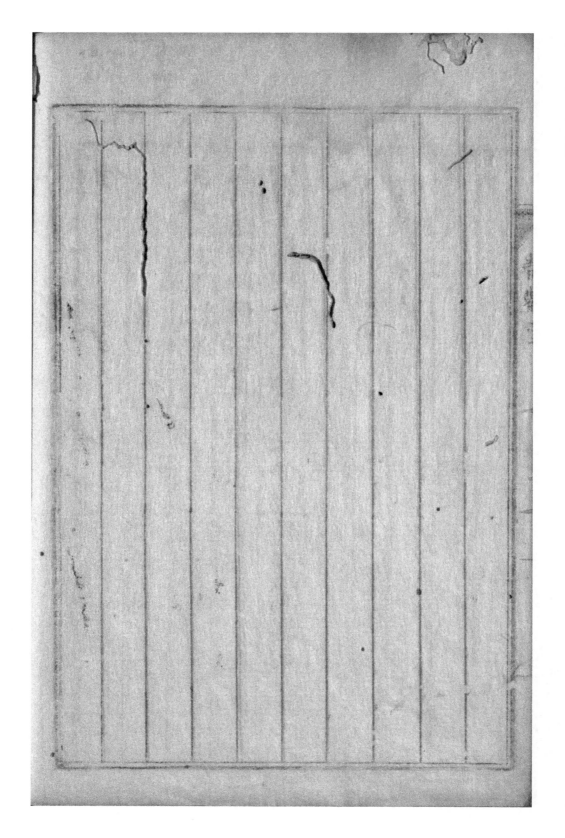

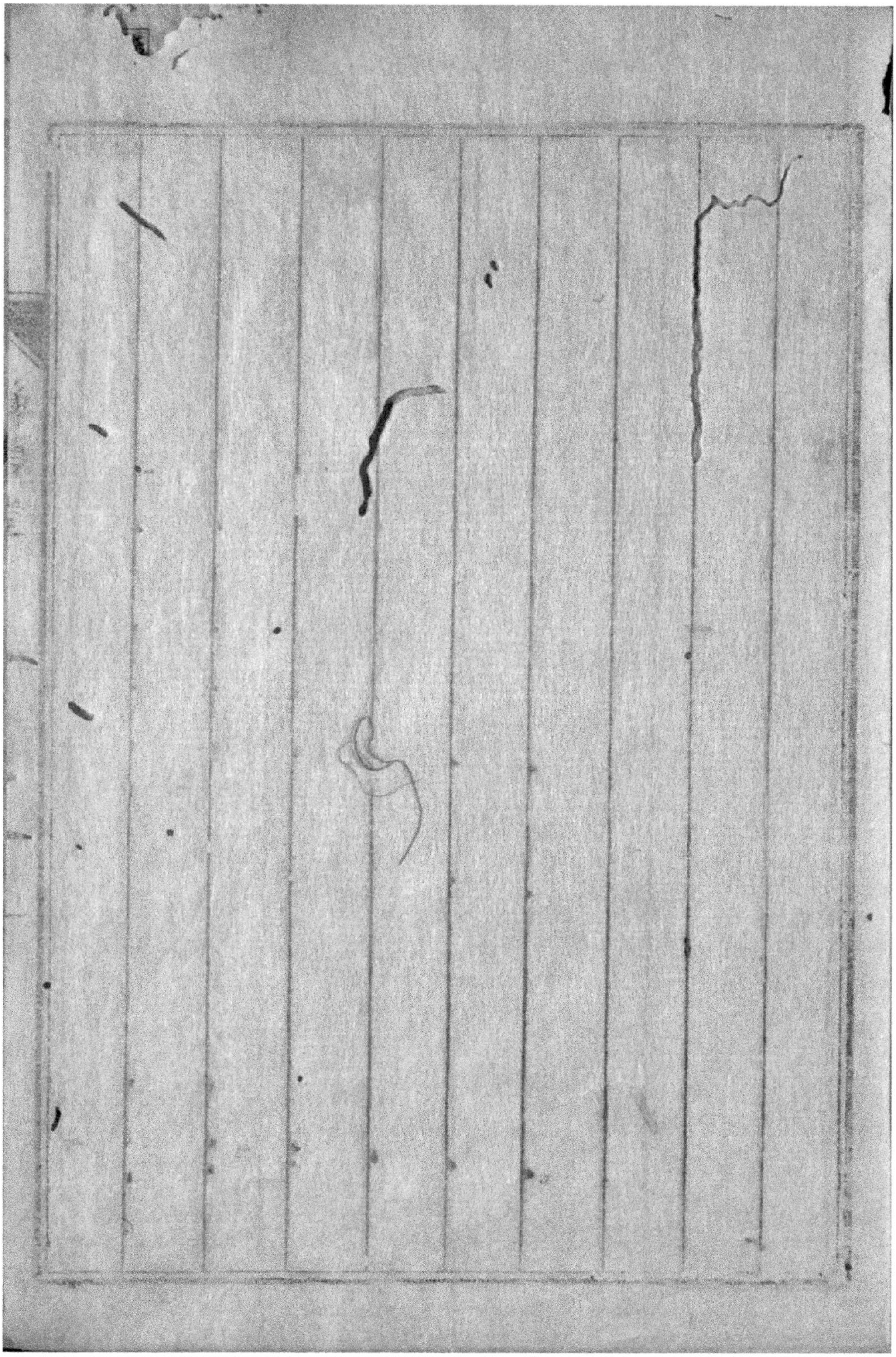

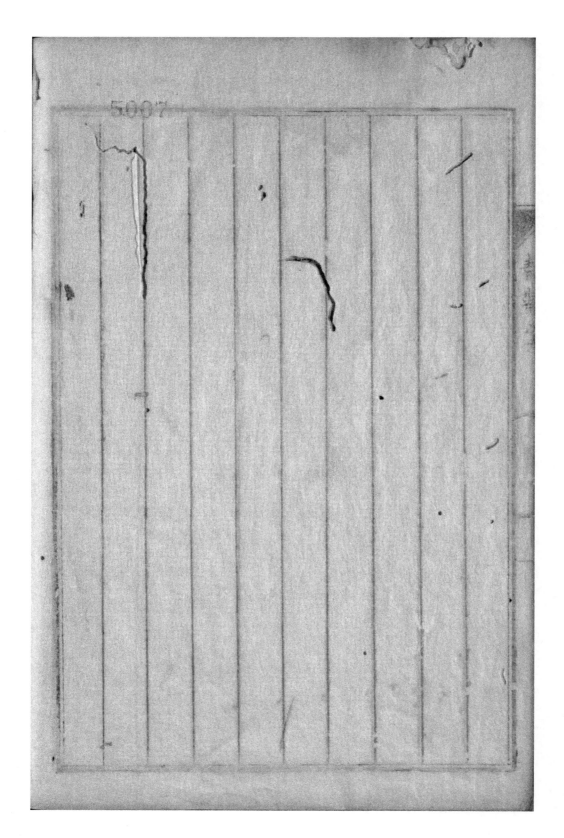

560
20

海外漢文古醫籍精選叢書・第三輯

脉訣輯要

〔越〕洪錦居士　撰

内容提要

《脉訣輯要》三卷，爲脉學專著，越南洪錦居士編撰，成書於越南後黎朝景興四十三年（一七八二）。洪錦居士潛心研究脉法多年，汲取中醫古代脉訣精華，舉要馭繁，編撰本書。書中所述脉法精要實用，自成體系，是修習提高脉法的重要參考書。

一　作者與成書

筆者所見鈔本《脉訣輯要》分爲三卷，每卷首葉分别題寫書名、卷次，但無撰者信息。書首載「洪錦居士脉訣小引」一則，據此可知作者爲洪錦居士。洪錦居士生平簡歷不詳，僅從小引中可知其生於儒醫之家，其父錦富曾學醫於中國曾某，得授《太素脉訣》。

「洪錦居士脉訣小引」首先强調診脉的重要性，言「脉乃醫家首務，自古名醫，未嘗不精究於此」；然後叙述了編撰本書的緣由，稱「拙之先考錦富，儒醫也，北學於曾先生，授以《太素脉訣》二卷，兵火後，僅存其一。其徒有廷安鄧公者，亦得其一二之緒餘。拙領鄉進後薦，留心玩索，蓋亦有年。慮夫久而或失其傳，遂取《叔和脉訣》《太素脉訣》諸書，舉要索繁，發微摘隱，著爲三卷，名曰《脉訣輯要》，以爲入道之門。學者自約而博，由粗而精，亦行遠登高之一助」；最後落款爲「景興肆拾叁年仲春新訂」。越南後黎朝景興四十三年即西元一七八二年，正值中國清朝乾隆四十七年。

由上可知，本書作者越南洪錦居士非常重視脉診，唯恐診脉之術失傳，在鑽研脉術數年之後，整合歷代脉訣精華以及其父錦富所傳《太素脉訣》等書，於景興四十三年（一七八二）編撰《脉訣輯要》三卷，以爲脉診入門之書或技術提高之作。

二　主要内容

《脉訣輯要》主要闡述寸口脉法與太素脉法兩部分内容。全書分上、中、下三卷，每卷又細分章節，在章節之後以小字概括該章主要内容或作者洪錦居士的評語。

卷之上，依次記述脉説章、脉情章、脉症章、診脉章、辨脉章等五章内容。脉説章後附七怪脉訣、九道脉訣。脉情章，論脉之情狀，載有脉主詩訣。脉症章，論脉用藥，章名後小字注云：「按脉知病，隨病施治，是醫家之關鍵」。診脉章，言診脉之法式，包括七診、三候等具體診脉方法。辨脉章，共有八條，依次爲相似脉辨別、寸口六部臟腑分候、人平脉病與脉平人病、龔氏四總脉、男女异脉、臟腑之脉、脉之六親；其後録東垣脉訣，有作者小字評語，言其「簡而切盡脉理之精微」。

卷之中，依次載録脉病論、保元玄妙賦、叔和脉訣、臟腑脉訣四方面内容，尤以叔和脉訣内容最爲豐富。保元玄妙賦，包括病因脉、臟腑病脉、傷寒之脉、雜病之脉、痰脉吉凶、女子老人小兒之脉、鬼神之脉、死脉等八段内容。叔和脉訣，則依次記述浮、沉、遲、數四種脉象詩訣，心、肝、腎、肺、脾、命門六臟脉詩，内因脉詩、外因脉詩、有餘脉詩、不足脉詩、太過脉詩、不及脉詩、病脉詩、老少脉詩、小兒脉詩、婦女脉詩、諸脉見證訣、臟腑脉訣等内容。

卷之下，主要論述太素脉法。首先，載太素脉論，指出：「脉者……非惟知人病之吉凶，抑亦伐人生之禍福，父子妻妾兄弟奴僕無所不該，財禄壽夭性格功名無所不備，一生休咎無不應驗。」其次，爲太素通玄賦，記述太素脉之部位、性格脉、休咎脉、婦人脉。再次，記述吉凶、性情、情慾、貴顯、文武、應舉、財産、田園、貧賤、貴賤、貧富、壽考、夭折、生死、父母、妻妾、妻孕、子孫、兄弟、女貴、女賤、胎孕等二十二種太素脉診脉詩訣，以及干支日時詩、六脉屬日時。再次，爲七表脉吉凶訣、八裏脉吉凶訣，記述七表八裏十五種脉象的太素脉法。以上内容主要闡述了太素脉的基本原理與診斷方法。最後，載三部脉主病，以小字注釋「以下和叔（叔和）脉訣」；又録察色脉訣、咱（察）聲歌訣、審味脉訣、原夢歌訣，以及五臟補瀉温凉法、六腑補瀉温凉法。

總之，本書上、中二卷記述寸口脉法，卷上主要闡述診脉基本方法、基礎理論，卷中主要介紹具體脉象主病；卷下主要記述太素脉法的診斷原理與方法。全書内容豐富系統、精要實用，多以歌訣形式撰述，朗朗上口，可用作習脉入門之參考。

三 特色與價值

《脉訣輯要》作者洪錦居士潛心鑽研脉法多年，在汲取前人脉訣精華的基礎上編録了本脉訣專著。此書論脉重視氣血，指出脉有臟腑之分，重視五臟（六臟）脉，以四總脉爲綱，列出病脉用藥。

在書首「洪錦居士脉訣小引」中，作者指出本書是在中醫脉學著作《叔和脉訣》《太素脉訣》的基礎上舉要馭繁，發微摘隱而成。卷之上脉説章載脉診發展源流，「發其源者岐天師，浚其源者（某）真君，叔和、東垣揚其波，從政（正）、用光洪其派。嗣後以其術鳴者代有其人，而善乎太素者僧智緣，精乎太素者張子。」岐天師指岐伯，代指《黄帝内經》；某真君可能指扁鵲，書中論脉本於《難經》者多。用光，指中國明代醫家彭用光，著有《體仁彙編》，内含《王叔和脉訣》《太素運氣脉訣》二書。有關善用太素脉法的僧人智緣，據《宋史》卷四百六十二「方技下」載：「僧智緣，隨州人，善醫。嘉祐末，召至京師，舍於相國寺。每察脉，知人貴賤、禍福、休咎，診父之脉而能道其子吉凶，所言若神，士大夫争造之。」❶張子指中國明代青城山人張太素，著有《太素脉秘訣》。洪錦居士并非完全照搬上述醫家的著作，而是進行了高度的凝練總結。本書卷之上引用了「東垣脉訣」，卷之中大量引用了「叔和脉訣」，卷之下也引用了少量的叔和脉訣，但洪錦居士均進行了一定程度的化裁。

本書强調脉與氣血的關繫。卷之上脉説章開篇即言：「脉者，本乎榮衛。榮，血也，行乎脉中；衛，氣也，行乎脉外。」脉情章亦載：「脉，所以運行氣血，故氣血盛則脉盛，氣血衰則脉衰。脉盛則人平，脉衰則人病。」

洪錦居士論脉舉要馭繁，以寸口脉對應六臟脉，以浮、沉、遲、數、虚、實六脉爲綱。卷之上辨脉章第二條列述寸口脉臟腑分候；第四條載龔公浮、沉、遲、數四總脉；第六條指出脉有臟腑之分，「脉有

❶（元）脱脱等．宋史[M]．北京：中華書局，二〇〇〇：一〇四八三．

臟腑之分。何也？曰：此内外之别也。六腑屬陽，爲表，其脉浮；五臟屬陰，爲裏，其脉沉」。進而指出病在臟，見沉脉類爲吉，見浮脉類爲凶；病在腑則相反。最後以小字注釋「浮以候六腑，沉以候五臟」。書中重點論述了心、肝、脾、肺、腎、命門六臟脉，如卷之上脉情章載：「心脉宜洪而忌細，洪吉細凶……命宜沉滑，切忌遲微。」其後脉主詩訣亦載：「心喜洪來急促傷……脾宜宫（寬）緩忌弦長。」卷之中叔和脉訣，首先論述浮、沉、遲、數四種脉象詩訣，每種脉象中詳分五（六）臟脉象主病。例如，浮脉詩載：「脉行肉上是爲浮，心浮神散語糊模（模糊），肝筋攣搐身疼痛……」然後記述心、肝、腎、肺、脾、命門六臟脉詩，每一臟的脉詩具體列述浮數、浮遲、沉數、沉遲四種相兼脉主病。如肝脉詩云：「浮數風生滑節抽，浮遲寒痛泪常流，沉數背瘡煩燥渴，沉遲不寐損雙脾。」

全書論脉喜用對舉方法。如卷之上脉症章載：「浮者爲表……沉者爲裏……一息三至爲遲……一息六至爲數……脉之有力爲實……脉之無力爲虚。」采用相反脉象對比鑒别的方法，記述了浮脉與沉脉，遲脉與數脉，實脉與虚脉。又如卷之上脉情章云：「脉有力者爲實，實則瀉之；無力者爲虚，虚則補之。浮爲表，沉爲裏，當分外感内傷。數主熱，遲主寒，須辨有餘不足。」

爲方便讀者習脉用藥，書中專門列述論脉用藥。卷之上脉症章載：「脉症者，按脉見症也，有表有裏，有寒有熱，有風有痰，有血有氣，有痛有積，有上有下，有左有右，隨脉見症，立方施之，無不應驗矣。」繼而系統論述了浮、沉、遲、數、實、虚、弦、滑、芤、澀、緩弱、緊微、沉澀等十餘種脉象的主要用藥。例如，其言：「浮者爲表，紫蘇、葱白之類，甚則麻黄、桂枝以汗之。」此外，卷之上脉説章七怪脉訣載：「七者皆死脉，急用參、芪、歸、附以救之，亦有生者。」卷之中脉病論載：「脉之繫乎氣者，參、芪以補之；脉之繫乎血者，芎、歸以調之。」書末載録五臟補瀉温凉法、六腑補瀉温凉法。

四　版本情况

《脉訣輯要》成書於景興四十三年（一七八二），今越南國家圖書館存鈔本一種，本次影印即以此本爲底本。

此本藏書號「R673」，三卷一册，未見封面、扉葉。書首載「洪錦居士脉訣小引」，無目録，無跋。正文分上、中、下三卷，全部用漢文寫成。四周無邊，無界格欄綫，書口無魚尾。每半葉九行，每行二十四至二十八字不等。天頭部偶有小字眉批。全書朱點、朱批，無大的破損。

總之，《脉訣輯要》是越南醫家在汲取中國傳統脉學精華的基礎上，進一步提煉出的一部簡要實用的脉學專著。書中的脉學内容提綱挈領，系統條理，又多以歌訣形式撰述，易於誦讀，便於記憶，是一部脉訣精華的總結之作。本次影印出版此書，希望能爲國内學者研究越南傳統脉學提供珍稀的异國資料。

韓素杰　蕭永芝

洪錦居士脉訣小引

脉乃醫家首務自古名醫未嘗不精究之于此然其道甚玄知者亦鮮遂有不必見之説柢之先考錦富儒醫也北學于甯先生授以太素脉訣二卷兵火後僅存其一其徒有廷安鄧公者亦得其一二之緒餘（柢）領鄉進後薦留心玩索潜亦有年慮夫久而或失其傳遂取叔和脉訣（太素脉訣）諸書舉要索繁發微摘隱著為三卷名曰脉訣輯要以為入道之门學者自約而博由粗而精亦行遠發（登）高之一助同道君子尚恕迂疎幸甚

時

景興肆拾叁年仲春新訂

脉訣輯要卷之上

脉說章

脉者本乎榮衛，榮血也，行乎脉中，衛氣也，行乎脉外，循行二十經絡，一日凡五十度，終而復始，可以决吉凶，卧休咎，醫業者不可缺也。發其源者岐天師，浚其源者真君叔和、東垣、楊其波，從政開先派其派嗣，後以其術鳴者代有其人，而善乎太素者僧智緣，精乎太素者張于發人之彭殤生死貴賤窮通，無不指掌應手矣。然其道至妙，其理至玄，視之而不見，聽之而不聞，以意推尋，自然有得，專門乎是者，苟息潜玩，致力精思，体認乎去來徐疾之機，細察乎內外陰陽之理也。

七怪脉訣 七者皆死脉，急用參芪歸附以救之，亦有生者

雀啄連來三五啄絶而復來屋漏半日亦一滴落遲一點心絶也彈石硬來尋郎散肺絶

搭指散亂眞解索散漫脏絶也魚翔似有又似無浮而散胃絶也鰕游靜中跳一躍沉無力胃絶也

更有釜沸湧如羹散亂也旦占夕死不須藥

九道脉訣

數來六至革牢堅無力爲虛散漫然動牽便無沉便有短來無尾去無前結遲而滯無倫次促去隨來驟轉旋代脉動中还有止此名九道最精妍

脉情章 此段論脉之情狀

脉所以運行氣血故氣血盛則脉盛氣血衰則脉衰脉盛則人平脉衰則人病人之壽夭生死所關焉心脉宜洪而忌細洪吉細凶脾宮宜緩而忌弦緩平弦病肺部浮平沉病腎經沉吉伏凶肝貴弦長不宜短伏命宜沉滑切忌遲微脉有力者為寔實則瀉之脉無力者為虛虛則補之浮為表沉為裏當分外感內傷數主熱遲主寒須辨有餘不足七表候五臟之外感八裏候六腑之內傷九道之脉為難醫七怪之脉為不治兩手清微陰脉主貴也兩手洪大陽脉主富也脉來急人性亦急脉來遲人性亦遲先遲而後數先難而後易觸須而長之可以例推

此段論脉之情狀

脉主詩訣 是詩脉之言也 可指諸章

心喜洪來急促傷肝弦長好短沉狭命宜沉滑嫌微小肺貴輕浮忌緊強腎

部要沉防伏絶脾宜宮緩忌弦長弦洪毛石詳時候六部三関仔細量

脉症章 按脉知病随病施治 是醫家之関鍵 此段論脉用藥

脉症者按脉見症也有表有裏有寒有热有風有痰有血有氣有痛

有積有上有下有左有右随脉見症対症立方施之無不應驗矣脉之

浮者為表紫蘇葱白之類甚則麻黄桂枝以汗之脉之沉者為

裏枳殻桃仁之類甚則大黄朴硝以下之一息三至為遅遅則主寒

厚朴乾姜桂附以温之一息六至為數數則主热葱白苓連之類以涼之

3

脉之有力為實枳壳大黄以瀉之脉之無力為虚人参黄芪以補之脉之弦
之弦者為風薄荷荆芥防風之類以驅之脉之滑者為痰半夏南星
茯苓麦门之類以導之脉之濇為血當為熟地以補之緩弱為氣蘇子香
附以行之緊微者為疼痛白芍乳香以止痛沉濇為結積當為紅花以開結
天脉微者病在下木瓜牛膝以引之寸脉虚者病在左柴胡以引之右手
虚者病在右青皮以引之學者推類以例其餘庶無以藥殺人之誤矣此段論脉用藥

診脉章此段言診脉之法式

診脉者按脉也血氣為脉氣為息一呼一吸為一息以息定脉則脉之
至止可知古有七診三候之法七診者一靜心二定志三定息四栓按

五平按六重按七察症三候者一候其浮二候其中三候其沉故診之者平旦調息令觀者靜坐先以中指按掌後高骨定關部次以無名指按關前定寸部後以竇指按關後定尺部人長踈排指人短密排指人瘦輕排指人肥重排指一至爲怯二至爲敗三至爲遲四至爲緩五至爲平六至爲效七至爲極八至爲脱九至爲必死十至爲墓隨脉対症療無寒作熱醫之病矣此段言診脉之法式

辨脉章九八條見乎淺且乎微無不透徹之道矣

脉有相似而異名者如洪似大細似微遲似緩沉似伏促似數滑似動何也曰此虛實之分同形而異情也洪爲有力於大洪實熱而

大稍寬細稍大於微細近虚而微無力纔少遲而遲三至沉至骨而伏
稚尋致六至而促七来有稍重稍輕之異滑以珠而動不止有極虚極
微之分凡此名同而實異理一而分殊也
脉有異名而同部如心小腸肝共膽腎膀胱肺大腸脾共胃命门三
焦何也曰此陰陽之理異名而同類也手少陰手太陽同居左寸陰陽之
配偶也足厥陰足少陽同居左關陰陽之交媾也足少陰足太陽同居左
尺陰陽之孕育也手太陰手陽明同居右寸陰陽之対待也足太陰足
陽明同居右關陰陽之交會也手厥陰手少陽同居右尺陰陽之際
遇也凡此名異而實同同條而共貫也

脈有人平而病者何也曰此相尅之脈也假如肝部脈弦忽如毛而浮者肺脈也是金来尅木主有痰喘之憂應於秋庚辛日酉申時心部脈洪忽如石而沉者腎脈也是水来尅火主有寒疼之患應於冬壬子癸日子亥時六部皆然這般脈狀雖未病而即病經曰人平脈病號曰行屍是也脈有人病而平者何也曰此相生之脈也假如人病熱而息四至緩不急數者其熱必退應戊己日四墓時人病寒而一息五至洪不遲伏者其寒必除應丙丁日巳午時每病皆然這般脈體雖病無憂經曰人病脈平可保無虞是也

脈有七表八裏七怪九道又有長短大牢息絶其名不一而嘗公約之

爲四脉何也曰此自博而約示人以入道之門也芤實洪長皆浮須而牢革即浮之有力也微弱虛伏皆沉須而細絶皆沉之無力也濇結濡緩皆遲須而牢遲之有力短遲之無力也弦緊滑大皆數須而動數之有力促數之無力也解索魚翔浮而散也雀啄彈石數無算也蝦遊即沉者無也屋漏即沉一點也名義雖多約而總爲四脉四脉有力則風積痛熱四脉無力則爲氣虛寒瘡四者驗之萬病無不應該矣至簡而不煩至要而不迂誠醫家之妙訣也

脉有男女之異何也曰一陰一陽之道也男女屬陽以左爲尊故以左寸爲命主女子屬陰以右爲尊故以右尺爲命主男寸脉洪而尺

脉弱女寸脉弱而尺脉強男命门（名精府女命门在右而肾在左）在左而肾在右门名血海男子女脉為不及女子男脉為太過男子左脉強而右脉弱女子右脉強而左脉弱其脉之異以陰陽強弱之殊也。（尺脉遲遲定見胎男兒陽應女陰來 方娠宜大沉微病已產宜沉來散突）

脉有臟腑之分何也曰此內外之別也六腑屬陽為表其脉浮五臟屬陰為裏其脉沉洪弦乳實長大皆浮類病在腑為順在臟為逆迟弦短伏皆沉類病在臟為順在腑為逆臟腑之分腑分而臟內也（浮以候六腑 沉以候五臟）

脉有六親之義何也曰生尅比和之理也生我者為父母尅我者為官鬼我生者為子孫我尅者為妻財與我同類者為兄弟如春屬木其脉弦見沉者是肾水生木為父母見浮者是肺金尅木為官

鬼見洪者是心木生火爲子孫見緩者是脾木尅土者爲妻財見弦
是肝木比和爲兄弟三時皆旺此春得肺脉則金盛生水水來生木
雖病可医春得脾脉則土盛生金金來尅木爲不治之脉若見肝
脉爲比和病即平矣餘脉皆然

東垣脉訣

簡而切尽脉理之精微

初持脉時令仰其掌掌後高骨是謂關上關前爲陽關後爲陰
陽寸陰尺先後推尋男女同脉惟尺爲異陽弱陰強又此病至調
停已氣呼吸定息四至五至平和之則三至爲遅遅則主冷六至爲
数数則主熱遅数既得即辨浮沉浮表沉裏斟酌淺深浮数表熱沉

效裏然浮遲表虛沉遲冷結左寸屬心合於小腸開爲肝膽尺腎膀胱右寸主肺大腸同條開爲脾胃尺命三焦凡寸開尺候上中下右脈候右左脈候左浮沉遲效有內外因外感於天內緣於人浮輕手得有力爲洪無力爲芤寔大重重沉重手得有力爲滑無力爲弱伏沉至骨三至爲遲有力爲濇無力爲濡緩徐之測六至爲效有力爲弦無力爲緊表裏昭然人平脈病號曰行屍人病脈平可保無虞不及微弱太過寔弦寔弦外感微弱內傷春弦夏洪秋毛冬石四季緩來爲脾之脈女尺不絕乃是胎期左疾男子右疾女兒診小兒脈浮沉爲先浮表沉裏乃病之原

脉訣輯要卷之中

脉病論

人之一身必氣血周流無壅然後能存一有窒礙病隨生焉氣之為病感冒則氣熱汗滯則痞滿攻於上則頭旋蘊於中則胸膈為瘕瘴為喘促為痰咳為肢痿血之為病妄行則吐衄衰涸則虛勞逢寒則節為之縮狹熱則身為之癉黄為淋痛為腸風為崩中為滴下脉之係乎氣者參芪以補之脉之係乎血者芎歸以調之學者引而伸之思過半矣

保元玄妙賦

是玄而妙妙而玄中病之膏肓

欲識病因須參詠脉訣弦勞緊痛洪寔熱生乳血浮風遲微寒結

沉見多因氣痛滑來只是痰涎濇精敗弱精虛緩是複麻濡自汗大
氣裹細氣火伏為開格數生煩浮為如芤實洪長沉為如伏虛微弱
遲煩兮緩濡濇結類乙數兮滑大緊弦表裏怪道博之各有其各遲數
浮沉約之總歸四脉兩手三關之當識三部九候之當知（此一段言病因脉）
心盛為有餘必胸痛脇疼而善笑心虛為不足必怔忡怔悸而舌強
小腸強腹脹焦乾小腸細氣虛寒結肝部浮洪為實洪目疼耳重
頭旋肝經沉伏為虛決目暗筋攣息弱膽盛內煩而多睡膽虛不
寐而數驚木弦入土宮腸滿肢瘦身重水沉居土位腸鳴嘔逆虛膨
胃實痛胸胃虛飧泄肺浮氣實病為喘咳痰涎肺伏氣虛病

主咽乾氣短大腸實無時刺痛大腸虛連日泄瀉背経脉虛有餘小便必黄而体重腎部脉氣不足耳鳴重咱而腰疼膀胱虛而小便不通膀胱實而小便頻效右尺浮洪芤實脹滿便難右尺沉伏遅微便頻精泄 此段論藏腑

至論傷寒之脉須參内外之因熱蒸在表脉忌沉微汗下在経脉防浮大陽病見陰脉者死陰病見陽脉者生陽脉如浮效洪弦表實者汗為之要陰脉若遲沉微伏裏實者下為之宜沉而伏者由陽浮而緩者和解神門脉有力病雖危猶有可生神門脉不來病到此必然不治

此段論傷寒之脉神門命門之分見也

若夫雜病可以例推瀉泄虛労宜浮緩不宜息寔顛狂霍乱利浮洪不

此段論雜病之脉

利沉微一切癰瘡不宜效大萬般温熱最忌細微心疼切忌浮弦頭痛須防濇短肢痿筋弛急效奚堪腹痛心疼遲微難治浰身熱脉洪者死痰脉來沉伏者危偏風正風痺風痛風三十六風最嫌急實吐血衄血咳血下血一切諸血只怕浮洪遺精者疾急甚難消渴者浮虛可畏澀而虛為汗急效難痊細而散為淋遲虛必死喘急不宜濇短咳涎怕見沉微此段論痰脉吉凶

此段論女子之

若論女人寔殊男脉血旺則尺效氣衰則寸微左弱者乃其常尺效者為有孕至月浮洪必然將產臨朝沉伏定是郎生尺浮洪者為男兩男定兩洪於尺部沉細者為女兩女須兩細於尺宮浮洪效滑

是男沉伏遲微是女四五月而緊效者其胎必漏六七月而細微者其胎必傷

老之氣血既衰宜沉細而嫌浮大童之形骸未備八至熱而五至寒

若論鬼神須詳脉狀乍來乍去正是有邪似有似無不能無怪心宮浮散

必瘟瘴疫癘爲災肝部效來必木影花妖作怪腎伏則水神煽虐焦

此段論鬼神之脉

短爲廚灶興妖脾宮來去無常神祠土地肺部浮沉靡定厲鬼刀兵

○每細推脉理可决死期浮而散沉若無名釜沸魚翔之怪遲一点效無草

此段論死脉

號蝦遊雀啄之奇一怪二敗三遲六效七極八脱九名必死十日歸墓太衝

脉不來命隨奄忽神门脉已絶命在須臾

叔和脉訣 言精當体認無遺

脉為元氣自先天動靜之中理甚玄浮而有力則為風無力為虛氣上冲
效而有力則為熱無力為瘡為失血遲而有力則為寒無力疼陰結且疼酸
沉而有力則為積無力為痰為氣逆

浮脉詩　脉行肉上是為浮心浮神散語糊糢肝筋孪搐身疼痛
脾腹虛膨氣喘粗肺主風痰頰咳嗽腎為腰膝苦孪拘洪長芤寬是皆
浮頰有力為風無力虛

沉脉詩　脉行肉下是為沉心沉不寐血淋淋肝来脇痛兮寒結
脾應肢疼氣滿深肺口咳痰常吐血腎腰疼痛久虛陰伏虛微弱
皆沉頰其痛為痰與湿侵

遲脉訣詩　一息三至脉爲遲心遲驚悸溺頻遺肝流冷淚筋常轉脾壅寒痰食不思肺喘虛溏皮燥結腎虛精滑膝疼痿癢濡澀結皆遲類其病爲寒共痛医

效脉詩　一息六至脉爲效心來燥悶言狂錯肝爲頭眩骨蒸風脾主胃翻肢倦癰肺咳喉咽体热蒸腎淋口渴陰瘡作緊弦滑大效之形其病爲瘡爲热煿 以上四脉主特

心脉詩　浮效頭疼热氣蒸浮遲腹冷胃虛停沉效舌强言錯乱沉遲氣短冷寒汗

肝脉詩　浮效風生滑節抽浮遲寒痛淚常流沉效背瘡煩燥

渴沉遲小麻頑双脾

腎脉詩

浮數勞蒸便赤生浮遲陰腫且流精沉數腰疼生赤濁沉遲白濁耳虛鳴

肺脉詩

浮數風生熱結喉浮遲冷結瀉難休沉數風痰并氣喘沉遲氣（冷）弱涎流

脾脉詩

浮數牙宣盜汗流沉遲胃冷氣虛浮沉數熱煩并口臭沉遲脹滿腹疼流留

命门脉詩

浮數精遺結熱中浮遲白濁冷汗疼沉數尿頻乾燥渴沉遲虛冷濕（湿）邪衝 以上大脉主病

内因脉诗　喜氣傷心脉必虚　思傷脾胄结中居　因憂傷肺来常濇　因怒傷肝至便濡　緣恐腎傷沉且伏　緣驚胆喪散而舒　悲傷胞结来常緊　就七症中仔细思

外因脉诗　緊則傷寒　腎則祋虚　因傷暑向胞推　濇緣傷懆須覓肺　緩緣傷濕要覓脾　肝部傷風浮且大　心經傷火豹而徽　六淫外感須詳加疾　免將寒作熱醫

有餘脉诗（浮洪大散爲有餘　宜寫通散之）　浮放爲餘主外因　心餘懆结肺乾津

肝常脇痛腎胸滿　胃主腰疼命溺類

不足脉诗（沉微细小爲不足　宜扶補助之）　沉微不足内多傷　心主煩驚肺哆殃

肝骨筋疼脾冷積　肾腰膝痛命虚濾

太過脉诗　尺部至關部關部至魚際是太過脉　太過離宫脉上浮行心虚火動肺肺痰

流

生肝為風痛脾多睡肾部陰虚命泄精

不及脉诗　寸部至關關部至尺尺部离下是不及脉　不及離宫脉下行心為膽語肺腸鳴

肝常流涕脾溏泄肾舌酸疼命冷生

病脉诗　浮芤弦風乱致血濡弱為虚洪實熱滑来吐逆

緊微疼遲緩寒泻沉伏结

老少脉诗　老少原来脉不同老宜细弱少弦洪老洪少弱非常

脉定有实来病柴至

小兒氣血未周完六部須將一指

小兒脈訣

覓沉細內傷因亂啼浮洪外感冒風寒

婦女脈訣

背主身宮及女奴右開父母左開夫產门尺部弦宜候餘兩男古亦一途

諸脈見症訣

浮而有力其病爲風無力虛損遲吉息流而有力其積頗堅無力虛羸駒兆弦痊遲而有力寒痛滑又無力虛冷微駒雖全救而有力其病爲熱無力爲瘡細虛火結滑爲停痰爲濕爲嗽浮則心疼寔則熱大儒爲不足精血心傷四肢厥冷心痛雖当大爲病進乃脈之賦如湧泉然頭旋

朐塞大而緩者為正無脉無妨、代為氣絶見此不祥惟痰湿見用炙
大為陽結細為陰結
草湯病見亦可生。以上諸脉皆死脉也宜用人參炙芪炙草大附子平見大忌內桂亦有生者不可坐而待斃亦仁術也

臟腑脉訣

脉浮則為腑沉則為臟遲則瀉其子虛則補其母寒則温之热則涼之

心為君火神明出焉手少陰經髮乃血苗汗為有液其應在舌其、脉主洪其旺於夏其日丙子其時巳午小腸心之腑也而心相為表裏乃手太陽經受納之官化物出焉候在人中脉居左手寸按手得之可也

肝為風木謀慮出焉罷極陰經榮發於筋竅開於目其候在脇其脉主弦其旺於春其時癸卯胆肝之腑也而肝相為表裏

乃足少陽經中正之官決斷出焉其候在眉脉居左關挃手得之可也
脾為濕土五味出焉足太陰經花發於唇竅開於口其液為涎
其脉主緩其旺四季其日戊己其時四墓胃脾之腑也為脾相
為表裏乃足陽明經倉庫之吏氣口屬焉其候在唇脉在右關挃
手得之可也
肺為燥金為氣本焉手太陰經外主皮毛中生液涕開竅於鼻
其脉主澀其旺於秋其日庚辛其時申酉大腸肺之腑也為肺
相為表裏乃手陽明經傳道之官変化出焉候在鼻頸脉在
右寸挃手得之可也

腎為寒水枝巧出焉足少陰經其候在腰其竅在耳其榮
在骨其脉主沉其旺於冬其日壬癸其時亥子膀胱腎之腑也
与腎相為表裏乃足太陽經号曰都官氣化出焉候在耳中脉
在左尺經手得之是也
命门為相火即右腎也手厥陰經配左腎而藏精相居火而係
氣男以此而藏精女以此而積血其脉有神者生無神者死元
氣之精精神之合其脉沉得之是也三焦乃命门之腑也与命门相
為表裏乃手少陽經決瀆之官水道出焉其發為無根之火脉在
右尺經手得之是也

腑屬氣為表其脉浮臟屬血為裏其脉沉臟腑兄弟也同氣而異形也合之則為藏腑合之則為三焦又從而約之三焦亦一焦也焦者一元之氣也心與胆相通心病怔忡治宜溫胆為主胆病顛狂治宜補心肝與大腸相通肝病宜疎大腸大腸宜平肝為主脾與小腸相通脾病宜瀉小腸小腸病宜潤脾為主肺與膀胱相通肺病宜清膀胱膀胱病宜清肺氣為主腎與三焦相通腎病宜利潤三焦三焦病宜滋補腎水為主此合一之妙也

脉訣輯要卷之下

太素脉論

脉者人之血脉也周流於一身形見於六部有諸中必形諸外非惟知人病之吉凶抑亦識人生之福禄父子妻妾兄弟奴僕無所不識財祿壽夭性格以至無所不備一生休咎無不應驗嗚呼脉机其神乎脉理其玄乎然不外乎二氣之流行五行之生尅也机達理者則脉之情狀人之吉凶從可識矣医家者流其可潦草而取笑於此乎歟

太素通玄賦

將察窮通須知部位心乃己身之部小腸主遷祿肺爲父母之宮大腸爲妻子以至肝部補方膽宮胃

経主財貨脾为田宅膀胱主疾厄腎乃季女元妇人則異於男人右手更強於左手肝宮父母左脈弱而微脾部夫君右脈陰而大（此段論脉之部位）○若論人性須論脈情性遲脈至亦遲性急脈来亦急緩居六部心善而喜寬和榮過三関性燥而多急促木強弦感而心恨正直木散沉而性戀貪淫好貨善濇脈貪肺逢浮緩多計謀貪酒色肝遇擡浮三関沉滞而吝慳六部分明而正直害人益己只因心不調自損己利人至木脾来緩大寸沉滑篤崇仙佛寸浮虚多信鬼神胆部弦長剛果英雄之士腎弦沉緩聰明文學之人玄鶴冲天資兼文武冠竜

在海堂世文章崇而粗兮為位卒沉而滯兮好奸偷（此段論性格）羲覓務事吉主要察脉情動靜脾宮緩夫妻財定是豐盈腎部滑沉父母必然富貴命門沉滑奴女思良集位極清門多事馬亨（消）逢甲（肝）乙（胆）背（背）父母而走（走）他鄉甲（明）生丙丁（心）旺子孫而榮祖業肺沉緊妻兒有病關浮弦祖業難招關伏手足子孫難保尺洪寸寬兄弟百刑尺弦長滿指而子榮、腎三部忽沉而妻孕息部堅牢短濇須防回祿之災腎强遲滯沉微定有螟蛉之子妻重娶細沉於心部妻兩情散伏於肺宮引而伸之他可知矣欵考前程須參脉理心宮洪盛當為廊廟之才肺部弦長

16

定主公卿之貴洪而滑定須家貴僑而徽乃是貧窮冬遇丁
來春至必然有喜春逢金至秋来定有灾殃四時皆然胆脉洪弦
名標虎榜心經洪滑而梅竜顔先遊後勺定是前貧後富
先勺後遊莫非前富後貧木入土宮横財貴積水歸火位有
有子難招肝若徽浮破産頻遭詞訟腎如滑動居官必主
迁祿蹇劳而怕飢寒短伏而羅夭折脾居沉花有婚姻
詞訟之憂肺部沉徽有父母沉吟之事腎沉而域踏仁寺背
徽而命在須臾短伏而沉須防水厄濡沉而滞宜避虫傷壮年
軍脉忌沉徽暮歲脉嫁浮大此段論休咎脉

至若婦人先覌右手右尺為身主沉微真命婦宜家左關
乃是夫君浮弦少壯夫益子脾緩稟貞強之性肺大恨妒
忌心部細沉魁二夫而未了腎弦洪滑生二子以超群洪
命門受子端莊沉心部一生浮蕩心宮細小子媳難招尺部浮
洪夫家破敗尺浮有恩男之意尺數為懷孕之期陽脈為男定
是浮洪弦實脈為女定也沉細遲微一亂兩兒洪數且長於
尺部遺腹生子湧來而後於腎經此段論婦人脈
吉凶脈詩　三關浮緩滑弦洪兩尺沉來萬事通濇緊
伏微濡弱短芤遲脈見事皆凶○心為朱雀脈宜洪文主

登科、武董、戎沉伏刑妻衝父母逐微虛火蕁胸中
肝屬青龍脉貴弦主登科第旺財源、緩来父慶洪兒貴
沉伏風邪是病源。○腎為玄武脉宜沉壽域優游事称
心三乾忽沉妻有孕沉而短伏病原深。○肺為白虎脉宜浮
手火登科達坦途沉緊妻兒愁傷影沉微父母覓真途
勾陳脾宮貴緩来家資足得旺妻財沉微伏有婿田訟浮
數強招子媳災。○騰蛇屬命貴沉奴僕患良骨肉親微濇
妻兒應過影洪弦兄弟草楼塵

性情脉詩

人性須從六部妍緩来寬厚的真賢

心洪才俊弦剛直情敏貪淫濡吝慳脾緩慈和沉險狡
肝弦正直細私偏數浮慷慨遲沉緩脈理推求性驗然
情欲脈诗　凡脈先沉微那堪緊數随蘭房明夜月有
客嬉笑歹○　官職脈诗仕禄須详两寸宫分明流利是英
雄脈来沉細官随退脈見洪弦禄必豊
貴顯脈诗　一人貴賤係心肝清濁审仔細着緩宜洪
弦真貴顯沉微濡弱定孤寒
文武脈诗　惟文武脈係心宫仔細思量弦与洪弦是
文官陪票閫洪為武將董兵戎

應舉脉诀 此乃肝部貫弦長 年少登科姓字香若

是沉微遲短伏 才高不第志難償

財產脉诀 家資之脉自脾來 緩大平脉最佳寬滑必

然承祖蔭緩洪定是得妻財

田園脉诀 須知六部究財源 脾緩洪來百畝田 寸滑外

財多枝發尺沉自（白）手買田園

貧賤脉诀 脾脉細如似水洪 一生財貨總成空 更兼本

部奔波湧磳磴 辛勤度日中

貴賤脉诀 仕祿須詳寸口中 或微或顯是窮通 自微

而顯窮終達自

顯而微達後窮、○ 貧寠脉诗、 人之左手是天君
自濇旬中定寠貧前富後貧旬更濇前貧後寠濇而旬
壽考脉诗、 腎為壬癸滑而沉指下遲匀潤帯深定、
是春臺長壽椿道逢世上播徽音
夭折脉诗 又為玄武腎膀胱緊致遲虛病苦忙
短伏水憂濡獸患濇微磋跌滯如傷
生死脉诗 五十来不止無病不須医四三二十止
四三二年危十動隨一止一年内興悲四止八日應三止六
日隨一止一日死須先肺部推平旦脉會於氣口右寸肺部五十不止居百胃氣四十一止一臟絶必四年亡三

十動一止二臓絶三年亡二十動一止三臓絶二年亡十動一止四臓絶
一年亡四動一止八日亡三動一止六日亡二動一止三日亡一動一止百亡

父母脉詩　右肺經為父母宮脉来洪滑壽年隆沉微定有
沉吟事萱堂椿堂嘆鞠凶　肾沉關緩茂椿堂肺部沉沉浮脉沉而虚
微必不全浮陽脉浮而豹其父先亡　浮豹峙山雲膌旱沉虚屺嶺雪遮先

妻妾脉詩　右關脾部是妻宮脉見匀長緩大中定其母先亡
是名家貞淑女因妻得力主財豐
两尺沉来短滯微琴弦頻續亂如綠細沉心部妻重娶肺
緊須防病帯危　○　妻淫脉詩　欲識人家一片心關前散亂伏而
沉柱將山岳為盟誓不是空居独展衾

妻孕脈诗 肾脈須详仔细寻来时三動忽然必沉必
然因子怀胎孕增貴门庭嗣好音
子孫脈诗 寸部之中滿指弦兒孫逢吉世相傳若沉而緊
遲而滯子孫息难招病且塵 如数详也子先亡尺沉而滑洪
登科洪弦寸上見當貴洪滑閒中子必多
人而有子貴门庭尺滯而微負螟蛉寸芤难招遲育免閒沉
極少紧多刑
兄弟脈诗 右焦部上滑而沉兄弟怡〻友愛心尺部浮
洪親不睦寸中沉滑禍孫、浮

20

女貴脉訣　脾緩貞勤固範修宜家宜室奉公姑胥
弦洪滑息多子肝部清弦必駐夫
女賤脉訣　心中强急多淫肺大常恨妒嫉心心部沉微
夫子害尺来细狗㢘孤衾
胎孕脉訣　尺中数脉是胎期沉忽绝迟了亦可知肺部
沉微真女子心宫滑大是男兒双男定是双滑大兩女
須詳兩緩微　一月一来随一止閏止例兩推
干支日訣　甲膽乙肝丙小腸丁心戊胃己脾御庚屬
大腸辛屬肺壬屬膀胱癸腎當

子膽丑肝鄉寅肺卯大腸辰胃巳脾部午心未小腸申膀胱酉腎戌命
亥焦堂。　大脉屬日時　弦應甲乙日洪應丙丁辰滑應惟
戊己浮應是庚辛霓應壬癸日濇應一日旬沉應今子亥弦應、
今卯寅伏應巳甚午徵應酉而申

七表脉吉凶訣　寸浮作事好驚狂橫訟貪淫惹禍
殃奴走人欺多信鬼頭疼身熱苦傷風惟右寸為正脉
詞浮燥急性多偏度日辛勤破祖田自立成家方可保病寫心腸痛綿綿
天浮兄弟太無情性好移居浪一生營室早寒財不聚風邪纏過太
陽經此三部脉浮也
寸乱貪狼曲惡多家庭春屬欠年和橫財費積

21

兒孫少々吐血淋々病血邪

閙乾資財轉手空有兄有弟更难終官灾口舌頻招禍死

血汗留壅漏中　天乾奈波靡定居横財費積更無餘婛

非壽域春臺客尿血淋漓下部虛

寸滑多能事々知王公獲近横財隨鼓盆未免於刹尅春後

花閙得錢財　閙滑謀深且壯猷多財多子又多奴

咸声赫々交边陲外胃壅痰涎病未瘳

天滑聰明特達人功成名遂契亀雲　妻生富貴年添壽

淋澁膌疼是病因

寸實家資用頗豐，但嫌妻子早剋刑，衝椿萱，彫謝疎兄弟，病主胸焦熱上攻。　關實誠心忠有發，但財貴積攢田園，及兼妻子於刑，結胃熱酸疼是病原。

尺實難逢，蕩漾入貪花戀酒，枉紛紛破家敗產，庸何楷脹滿膈中熱氣爍。　寸弦性急橫財招，身立公门祿且饒，妻子好中還不好，風邪拘急病病標。　關弦備指主功名，應孝登科早晨榮，右部弦長財必散，病為急痛且風驚。

尺弦蹇滯止多旁，骨肉無情壽不高，子息難招宜入贅，病為急痛目消耗。　寸緊狂風性不良，九流雜藝足風光，抓賓入等

欲談人短病主風邪裏太陽
關緊渾如蝶戀花家貧好訟欲叨唆刑妻害子踈兄弟胸腹酸
疼手足麻　尺緊身常委在公言行有始更無終東馳西鶩
無休暇病腈滯疼洪耳聾
寸洪才俊早成身福祿兼全富貴人晚歲見洪應子貴極洪
熱氣上焦熏　關洪而滑士公卿毅端嚴貞重各且喜妻
兒承祖蔭盡洪胃熱主虛驚　尺洪酒色伴狂風家討
蕭條惹禍凶妻子重招兄弟諫極洪腈腹苦酸疼

八裏脉吉凶訣　微沉緩濇　遲伏濡弱

寸微病苛嘆丁伶兄弟孤单父母刑家计萧條湯潑雪氣
虛血少耳常鳴　關微日燥更慈悴役使於人拳鼓難岩
不犯刑為位卒脾虛氣結腹酸疼
尺微破產又離鄉妻子招難父母傷刑處奸偷歸（為）活計氣虛
小腹痛無常　寸沉仙佛慕真逢酒落逍遥在九流不
是孤窮終路死病常胸膈冷痰留
關沉拳動便乖睽棄祖孤窮冠二妻惟有九流為活計病常
道冷透胸脊　尺沉勤苦振家聲自貴（買）田產貴子生福履綏
將脊寒域盡沉腰脚痛難行

寸緩胸弦胆氣粗刑妻尅子身孤叱從軍位方亨達病主頑麻漸
剥膚　関緩為人性格慳吝見好合肚財原椿萱益茂添
長寒冷結脾虛是病原　尺緩弛為性最遲心中多計更
多方奸謀雖巧成何事病主情虛腳軟疼
寸濇沉机不信人雖招子媳背双親居官不久無遐壽血凋心
虛是病因　関濇貪淫爍慾媒刑妻害子破家財壽年不
不逮刑兄弟病則虛勞胃不開
尺濇心堅有智謀多因酒色頌拘留閨房妻妾多情低氣弱
膀胱病未瘳　寸遲一世受孤單骨肉無情子媳難惟

肓过居延幾月病為痰哼積虛寒
閒延奔播枉忘家父母妻兒嘆吹呵僧道二商徒可議病為焦
躁善寒邪　尺延迁徙亦無常日漸消磨祖業傷子息
雖多終肓病病為虛冷結膀胱
寸伏為人胆氣弦事為猶豫好尺光如湯潑雪財多散病主
胸中遍氣傷　關伏枯乎性默沉難招子息事迍心田園退
散多零落腸癖還招病萬漏
尺伏脈單下賤人東西奔播度辛勤居無恒產耕無地塊積
奔豚是病因　蝶八盛團格未全尺男宜弱女宜弦男

弦破敗女家産女狗消磨男土田男左尺宜弱強則破女家女右尺宜強弱則破男家

龍蛇混殺格非佳脾伏肝微肺僭來官事不休遭獄訟爲官冠退更耗財

鶩影千里格乙亡脈見牢浮兩尺中杜貴忌机非所定離鄉井任西東

秋鴈爲冠格不祥肺微無力急而弦斷弦分鏡慈侵袂紇夜辜延倍慘傷

脈格名鴻鴈失群尺中浮大不自相奴脾反指交相賊兄弟乖和更兩分

格名曰野鶴騰空浮緊浮處在尺中萍芸隨浮

長夜日僧醫只在九流中

三部脈主病以下和叔脈訣

寸脉急者肝風頭目為〻傳痛寸脉弦者心結胸腹為酸疼〻緊為積痛寒〻疼緩是皮頑麻痺致熱居胃口邪塞上焦微冷結胸中氣疼內脘滑主痰而不利咽喉濇屬陽而傷血氣胸連脇滿只因洪大熱攻腹引指疼多是沉微寒〻結關中浮緩胃虛腹疼不食關上緊牢氣促肺喘多痰溺弱致陽虛而胃熱滑弦氣逆而胃寒〻微來脹滿於胸中寒痰留胃沉見酸疼於膈上冷氣侵脾關濡熱入膀胱女瘻散閉医脚重關伏冷汗肢体牽牛湯近療足浮

尺脉活者小腸急脹尺逕伏見冷氣上攻逐寒〻急結聚於下焦濇氣停留於中脘尺熱弱肺經受

25

熱氣進上攻徹臍肉積寒陰冷肚痛沉緊則臍疼而腰痛
弦勞則男病而女崩

察色脉訣　　脾黄肺白其肝青心赤形令腎黑形而
色細看知病本、見黄色起死還生

喝聲歌訣　　呼怒肝善笑心脾為歌味腎呻吟憂
悲哭泣皆因肺於症須當察五音

審味脉訣　　肝酸心苦從脾甘肺當辛令腎當鹹許
明詳看知病之臟更和色之脉其相參

原夢歌訣　　夢火陰虚夢火陽陰陽俱盛發刑

傷下虛飛動上虛隨喜怒悲歌憂臟推

五臟補瀉温涼法

心虛濡細遲微從恍惚心實數洪浮亂譫語舌強補宜酸棗麥门遠志
當歸山藥瀉用黃連枳實木香葶藶玄胡温菖蒲蘇子藿香涼竹葉
知母引獨活細辛　肝實則脉實脇痛目疼肝虛則脉虛目昏淚出補
用木瓜芡實砂參薏苡棗仁瀉用芎藭青皮橘皮柴胡青黛温則
温則木香肉桂涼須前子陳皮引上川芎下陳皮
脾實則脉實穀食不消脾虛則脉虛酸疼滿悶補要參芪歸术蓮芡
同山藥陳皮温宜肉蔻砂仁乾姜共藿香官桂瀉則青皮赤芍涼須

梔子升麻（引升麻白芍）　肺寔則浮效上熱鼻乾肺虛則沉微少氣口咳
補用參芪山藥紫蘇麥門瀉宜葶藶葵椰赤芍枳殼溫則乾姜肉
桂涼則加梔子石羔（引白芷葱白）　腎實浮洪腰疼腹滿腎虛沉
細寒結陰痿補加芡寔鹿茸杜仲山茱枸杞溫用兎絲故紙沉香
附子乾姜瀉須茶茗澤瀉猪苓涼要黃伯牡丹地骨（引食塩桂肉）

六腑補瀉溫涼法

小腸實則口舌生瘡虛則唇生下白補宜牡礪瀉荔枝葱白紫蘇溫
用茴香涼通草茅根花粉（引上姜法下黃伯）
膽實則神不守舍虛則煩擾不眠補通草黃連涼柴胡竹茹瀉則青